Stella ist verheiratet, sie hat ein Kind und einen Beruf, der sie ausfüllt, sie lebt mit ihrer Familie in einem Haus am Rand der Stadt. Ihr Leben verläuft einfach und friedlich – bis eines Tages ein Mann vor ihrer Tür steht, ein Mann, den Stella nie zuvor gesehen hat und der dennoch meint, sein Leben hätte etwas mit ihrem Leben zu tun. An diesem Mittag beginnt ein Albtraum, der langsam, aber unaufhaltsam eskaliert.

In einer klaren, schonungslosen Sprache und irritierend schönen Bildern erzählt Judith Hermann vom Rätsel des Anfangs und Fortgangs der Liebe, vom Einsturz eines sicher geglaubten Lebens.

Judith Hermann wurde 1970 in Berlin geboren. Ihrem Debüt ›Sommerhaus, später‹ (1998) wurde eine außerordentliche Resonanz zuteil. 2003 folgte der Erzählungsband ›Nichts als Gespenster‹. Einzelne dieser Geschichten wurden 2007 für das Kino verfilmt. 2009 erschien ›Alice‹, fünf Erzählungen, die international gefeiert wurden. 2014 veröffentlichte Judith Hermann ihren ersten Roman, ›Aller Liebe Anfang‹. Für ihr Werk wurde Judith Hermann mit zahlreichen Preisen ausgezeichnet, darunter dem Kleist-Preis und dem Friedrich-Hölderlin-Preis. Die Autorin lebt und schreibt in Berlin.

Weitere Informationen, auch zu E-Book-Ausgaben, finden Sie bei www.fischerverlage.de

JUDITH HERMANN

ALLER LIEBE ANFANG

Roman

FISCHER Taschenbuch

Erschienen bei FISCHER Taschenbuch
Frankfurt am Main, November 2015

Satz: Dörlemann Satz, Lemförde
Druck und Bindung: CPI books GmbH, Leck
Printed in Germany
ISBN 978-3-596-19641-8

für Amad

Es ist so – Stella und Jason begegnen sich in einem Flugzeug. Eine kleine Propellermaschine, kein weiter Flug. Stella kommt von Claras Hochzeit. Sie hat den Brautstrauß gefangen, wahrscheinlich ist sie deshalb so aufgelöst, und sie hat sich von Clara verabschieden müssen, deshalb ist sie so verloren. Es ist eine schöne Hochzeit gewesen, von nun an muss Stella alleine weitersehen. Jason kommt von der Baustelle, er hat Fliesen gelegt, deshalb ist er so staubig, und er hat die ganze Nacht lang gearbeitet, er ist im Morgengrauen zum Flughafen gefahren, deshalb ist er so müde. Die Arbeit ist beendet, er wird sich eine neue Arbeit suchen. Das Schicksal, wer auch immer, setzt Stella neben Jason, Reihe 18, Sitz A und C, Stella wird die Bordkarte jahrelang aufheben. Jahre lang. Jason sitzt am Fenster, der Platz neben ihm ist frei, Stellas Platz liegt am Gang, aber sie setzt sich trotzdem neben Jason, sie kann nicht anders. Jason ist groß und mager, unrasiert, seine schwarzen Haare sind grau vom Staub. Er trägt eine grobe Jacke aus Wolle und eine schmutzige Jeans. Er sieht Stella an, als sei sie nicht bei Trost, er sieht sie zornig an, sie schreckt ihn auf. Keinerlei Umschweife. Nichts, was hinauszuzögern gewesen wäre. Hätte Stella nicht Claras Brautstrauß gefangen – Jasmin und Flieder, eine üppige Pracht mit einer seidenen Schleife zusammengebunden –, wäre sie nicht so atemlos. Glühende Wangen, eine erschreckende Distanzlosigkeit.

Stella. Ich heiße Stella.

Sie sagt, ich habe Flugangst, ich ertrage das Fliegen nicht gut, kann ich neben Ihnen sitzen, könnte ich bitte einfach neben Ihnen sitzen bleiben.

Das ist die Wahrheit. Jasons Gesichtsausdruck verändert sich, er wird nicht unbedingt weich, aber er verändert sich. Er sagt, Sie brauchen keine Flugangst zu haben. Setzen Sie sich hin. Ich heiße Jason. Setzen Sie sich.

Das Flugzeug rollt über die Startbahn, beschleunigt, hebt ab und fliegt. Das Flugzeug fliegt hoch in den blassen, fernen Himmel, es bricht durch die Wolken, unter ihnen bleiben das Land, ein anderes, früheres Leben zurück. Jasons Hände sind dreckig und voller Farbe. Er dreht die rechte um und hält Stella seine offene Handfläche hin. Stella legt ihre linke Hand in seine, seine Hand ist rau und warm. Er zieht ihre Hand zu sich rüber, legt sie in seinen Schoß, schließt die Augen, dann schläft er ein. Später wird das ein Vorzeichen sein. Stella hätte damals schon verstehen können – sie hat Angst, und Jason schläft. Schläft, obwohl sie Angst hat. Aber er würde sagen, er habe geschlafen, damit sie sehen konnte, dass es unsinnig war, Angst zu haben. Sie hat das damals nicht verstanden.

Als das Flugzeug landet, macht er die Augen auf und lächelt. So sehr dunkle Augen, fast schwarz und im Ausdruck eigentlich abwesend. Aber er lächelt. Er sagt, sieh an, Stella, Sie haben es geschafft. Er nimmt jetzt ihre Hand in seine beiden Hände, und dann küsst er ihre Hand, den Handrücken, fest und sicher.

Wollen wir uns wiedersehen, sagt Stella. Sehen wir uns wieder.

Ja, sagt Jason, er sagt das, ohne nachzudenken – ja.

Stella schreibt ihre Telefonnummer auf seine Bordkarte. Dann steht sie auf und flüchtet, sie steigt aus dem Flugzeug über die Metalltreppe zurück auf die Erde, ohne sich noch einmal umzusehen.

Es ist kühl, es regnet. Unmöglich zu wissen, wie es weitergehen wird.

Jason ruft drei Wochen später an. Stella fragt ihn nie, was er in diesen drei Wochen gemacht, worüber er eigentlich so lange nachgedacht hat, zu welchem Schluss er dann gekommen ist.

I

Das Haus liegt in einer Siedlung am Stadtrand. Es ist ein einfaches Haus mit zwei Stockwerken und einem moosigen Ziegeldach, einem Panoramafenster neben der Haustür und einem Wintergarten nach hinten raus. Das Grundstück ist nicht groß. Zur Straße hin schließt es eine Jasminhecke ab. Über den Sandkasten ist eine Plane ausgebreitet, um den Gartentisch herum stehen schon drei Stühle unter einem noch kahlen Pflaumenbaum. Gelbe, zerbrechliche Blütenstiele im kurzen Gras, vielleicht Winterlinge. Am Rand des Gartens beginnt eine verwilderte Wiese, ein braches Feld, das ist ein Zustand von ungewisser Dauer, irgendwann werden hier neue Häuser gebaut. Aber noch geht der Garten einfach in die Wiese über, wachsen Brennnesseln und Windgras durch den Zaun.

Stellas und Jasons Haus. Das ist Stellas und Jasons Haus, das ist das Haus, das Jason kauft, als Stella mit Ava schwanger ist. Ein Haus für eine Familie. Kein Haus für immer. Wir werden hier auch wieder wegziehen, sagt Jason, wir werden weiterziehen.

Im Wintergarten riecht es nach Erde und nassem Kies. Über dem Sofa eine orangene Decke, auf dem Tischchen davor Kinderbücher, Wachsmalstifte, eine Teekanne, auf dem Teppich ein einzelner Schuh von Ava neben einem Stapel Zeitschriften. Vom Sofa aus geht der Blick aus den Fenstern in den Garten über den Zaun hinweg auf das Feld hinaus. Das Wintergras steht noch mattgrün, es sieht aus wie ein Wasser. Der Wind scheint mit Händen ins Gras, ins Wasser zu greifen. Die Wolken ziehen schnell.

Wenn Ava im Sandkasten sitzt und Stella ihr vom Sofa aus zusieht – Ava backt Kuchen aus Sand, sie schmückt den Kuchen mit Muscheln und Kies, sie bietet jemandem, den Stella nicht sehen kann, Kuchen an, gleichmütig und direkt, nicht bittend –, muss sie manchmal den Impuls unterdrücken, aufzuspringen, Ava aus dem Sandkasten zu reißen und mit ihr ins Haus zu flüchten; als käme ein Wirbelsturm über die Wiese, etwas Gestaltloses, Großes. Warum denkt sie das?

Das ist dein Unterbewusstsein, sagt Jason, wenn sie

versucht, mit ihm darüber zu sprechen. Nur dein Unterbewusstsein oder das deiner Leute, das Unterbewusstsein von Generationen.

Nur dein Unterbewusstsein.

Ich weiß nicht, ob ich dir folgen kann, möchte Stella dann sagen.

Sie möchte sagen, vielleicht ist das ja auch ein Wunsch? Vielleicht ist das eine wilde Sehnsucht.

Aber so redet sie nicht mit Jason. Kaum.

Vom Wintergarten klappt eine Fliegengittertür in die Küche hinein. Die Küche ist hell. Herd und Spüle unter dem Fenster, in der Mitte ein Tisch mit vier verschiedenen Stühlen, über dem Tisch eine Lampe, an der sich ein Papierpferdchen dreht. Postkarten am silbernen Kühlschrank. Unordentliches Geschirr in einem Küchenschrank, an dessen Türknauf mit Paketschnur zusammengebundener getrockneter Lavendel hängt. Die Wand an der Stirnseite ist blau gestrichen, vor der blauen Wand liegt auf der Truhe für die Winterstiefel ein Schaffell, auf dem Ava manchmal einschlafen will und noch nie eingeschlafen ist. Leere Flaschen, noch mehr Zeitschriften in der Ecke hinter der Tür, die ins Wohnzimmer führt, die zweite Tür daneben führt in den Flur, vom Flur aus gelangt man auch ins Wohnzimmer oder weiter in Jasons Zimmer oder zur Vordertür und aus dem Haus.

Das Panoramafenster gehört zum Wohnzimmer. Im Wohnzimmer steht ein niedriger Sessel am Fenster, in dem Stella am Abend liest und sich nicht darum schert, dass sie nach Anbruch der Dunkelheit in diesem Sessel wie auf einer Bühne sitzt. Sie liest, was ihr in die Hände fällt, sie liest alles, ihr fällt ein Buch in die Hände, sie schlägt es auf und taucht ein, das hat auch etwas Grausames. Jason sagt manchmal, du würdest sterben, wenn man dir die Bücher wegnehmen würde. Würdest du sterben? Stella antwortet darauf nicht. Sie nimmt mitten am Tag, zwischen den zu erledigenden, abzuarbeitenden, hinter sich zu bringenden Dingen ein Buch in die Hand und liest eine Seite, zwei Seiten, es ist ähnlich wie Atmen, sie könnte fast nicht sagen, was sie gerade gelesen hat, es geht auch um etwas anderes. Um einen Widerstand. Oder um ein Widersprechen. Vielleicht geht es ums Verschwinden. Das kann sein.

Stellas Bücher stapeln sich um den Sessel herum. Seit einiger Zeit stapeln sich auch Avas Bücher um den Sessel herum. Kinderbücher aus dicker Pappe.

Das ist die blaue Tür. Mal sehen, wer da wohnt. Wir klopfen einfach an. Klopf an!

Im Flur geht eine Treppe hoch in den ersten Stock. Die Post liegt auf der untersten Stufe, auf den Stufen darüber Avas Mütze, Fahrradschlüssel und Kreide, ein Pferdchen aus Plastik, ein Flummi, ein kaputtes Kaleidoskop, das Skelett eines Dinosauriers und auf der letzten Stufe ein mit bunten Perlen besticktes Kinderportemonnaie. Vierzehn Stufen, Stella weiß es, seit Ava zählen lernt. Oben gibt es drei Zimmer. Das Schlafzimmer, ein Zimmer in der Mitte für Stella und Avas Zimmer; hier brennt noch das Licht im Globus, und an der Deckenlampe schwankt das Mobile aus Sternen und Monden im Zugwind. Das Bett steht an der Wand, in der ordentlich glattgezogenen Überdecke ist am Bettrand eine kleine Kuhle – da hat Ava am Morgen gesessen, und Stella hat ihr die Haare zu zwei steifen schwarzen Zöpfen geflochten. Die Stofftiere lehnen ordentlich und wichtig aneinander, der Tiger und die Katze, das zerzauste Igelchen. Avas Stapel Memorykarten auf dem roten Tisch ist deutlich größer als Stellas. Über dem Schaukelstuhl hängt ein zerknittertes Prinzessinnenkleid. Im Regal eine Reihe von Fotos in Rahmen, die Stella manchmal vorkommen wie eine Schmetterlingssammlung, aufgespießte, festgehaltene Zeit, die extreme, wie irre Schönheit einzelner Augenblicke. Ava als Baby. Ava mit Jason in einem Boot im Schilf. Ava auf einem Stuhl unten in der Küche, kerzengerade in einem karierten Schlafanzug und mit verfilzten Haaren. Ava auf Stellas Schoß und nach dem Mittagsschlaf. Und ein Foto von Stella und

Jason am Meer, dieses Foto kann Ava irgendwann mal was bedeuten, ihre Eltern am Meer in dem einen kurzen Jahr, in dem es Ava noch nicht gab. Unvorstellbar, simpel zugleich.

Die Tür zum Schlafzimmer ist angelehnt. Das Bett dahinter ist nicht gemacht, die Bettdecken liegen ineinander, die Kissen sind nicht aufgeschüttelt, das Laken ist verrutscht. Der Vorhang vor dem Fenster ist noch zugezogen, das Sonnenlicht liegt in einem schmalen Streifen auf dem Fußboden neben Jasons Hemd, Stellas Buch.

In Stellas Zimmer steht der Schreibtisch am Fenster. Auf dem Schreibtisch lehnt eine Postkarte von Clara an einer Glasvase. Auch Bücher auf diesem Tisch, Schreibpapier, der Kugelschreiber quer über der Zeile *Meine sehr liebe Clara, der Morgen ist so still, als hätte es irgendwo eine Katastrophe gegeben, und ich geh die Treppe runter und mache die Haustür auf, weil –*. Die Uhr auf dem Fensterbrett tickt spitz in diese Stille hinein. Auf dem Gästebett ist Geschenkpapier ausgebreitet, liegen fotokopierte Wochenpläne für Stellas Arbeit, Blusen, die gebügelt werden müssen. Das Schiebefenster steht offen. Der Wind geht ins Schreibpapier, weht die Seiten auseinander.

In die Haustür sind drei Scheiben aus Bleiglas eingelassen, zwei Lilien und eine Möwe. Die Scheiben hat Stella von Clara zum Einzug geschenkt bekommen.

Zu Avas Geburt. Zu Stellas Hochzeit, zum Umzug, zum zweiten Abschied. Clara ist Stellas beste und einzige Freundin. Warum hast du nur bloß eine Freundin, sagt Ava, eine reicht ganz und gar, sagt Jason dann, er sagt es für Stella, und Stella sagt, so sieht es aus. Durch die Bleiglasscheiben kann man nicht hinaus- und nicht hineinsehen. Man kann nur durch das Fensterchen rechts neben der Tür raussehen, zum Gartentor hin. Ein schmiedeeisernes Tor in einem schmiedeeisernen Zaun. Jason hat den Zaun mit dem Haus gekauft und ihn sofort abreißen wollen, glücklicherweise ist er noch nicht dazu gekommen. Stella ist froh über den Zaun. Der Zaun hält hier einiges zusammen, Garten, Haus, Bücher, Ava und Jason, ihr Leben, es ist nicht so, dass das alles ohne den Zaun auseinanderfliegen würde, aber Stella findet Grenzen wichtig, Abstand, Raum für sich selber. Das Fensterchen neben der Haustür ist der Rahmen für den Blick auf den Zaun, den Blick zum Gartentor. Du musst da mal was reinstellen, hat Clara gesagt, eine Madonna oder so was, aber Stella hat noch nichts gefunden, was da stehen könnte.

Das ist das Haus an einem Tag im Frühjahr.

Es ist niemand da.

Stella ist weg, sie arbeitet als Krankenpflegerin, ihre

Patienten leben in den Häusern in der neuen Siedlung, auf der anderen Seite der großen Straße.

Jason ist auch unterwegs, er baut ein Haus am See.

Ava ist im Kindergarten, sie ist in der blauen Gruppe, sie hat eine blaue Blume an ihr Mäntelchen genäht bekommen, damit sie das nicht vergisst, und sie trägt die blaue Blume wie eine Medaille.

Das Gartentor ist natürlich verschlossen.

Die Straße liegt leer, niemand zu sehen, diese kleinen Vögel in der Hecke machen fast kein Geräusch.

2

Drei Wochen später ist Stella zu Hause. Mittags um zwölf.

Stella ist oft mittags um zwölf zu Hause. Sie hat drei Patienten in ihrem Wochenplan, Esther, Julia und Walter, sie macht meist die Frühschicht bei Esther und die Tagesschicht bei Walter, die Schicht bei Julia hängt von Julias Mann Dermot, von seinem Zustand ab, in letzter Zeit ist sein Zustand schlecht. Aber an diesem Tag fühlt Dermot sich in der Lage, den Arztbesuch mit Julia alleine zu absolvieren, und Stella bleibt zu Hause. Darf am Mittag alleine zu Hause sein.

Der Mittag in der Siedlung ist still. Die Häuser liegen verlassen, die Leute kommen erst zum Feierabend zurück. Stella ist gerne alleine. Sie kann sich gut mit sich selber beschäftigen, mit dem Garten, den Büchern, dem Haushalt, der Wäsche, den langen Telefonaten mit Clara, der Zeitung, dem Nichtstun. Früher hat sie zusammen mit Clara in der Stadt in einem Mietshaus gewohnt, in einer Straße mit vielen Cafés, Bars und Clubs; die Leute saßen direkt vor der Haustür an Tischen unter Sonnenschirmen und Markisen, und ihre Stimmen und Gespräche, ihre Sorgen, Vermutungen, Versprechungen, exzessiven Ausführungen über Glück und Unglück klangen in der Nacht bis hoch in Stellas und Claras Zimmer hinein. Niemals. Für immer. Je wieder, nie mehr, bis morgen, auf Wiedersehen. Das ist nicht lange her. Stella kann nicht sagen, dass sie dieses Leben vermissen würde. Sie ist heute gerne alleine, früher war sie nicht gerne alleine, so einfach ist das, sie weiß nur nicht mehr genau, wann diese Veränderung eigentlich eingetreten ist. Auf welche Weise, jäh oder allmählich? Im Verlauf von Monaten, oder von heute auf morgen, von einem Tag, den Stella vergessen hat, auf einen anderen Tag. Clara geht es ähnlich. Clara lebt in einer Wassermühle, tausend Kilometer weit weg, sie hat jetzt zwei Kinder, und sie ist so süchtig nach dem Alleinesein wie Stella. Das liegt an diesen Kindern, sagt Clara. Sie fressen dich auf. Stella denkt daran, wenn sie morgens mit Ava am Küchentisch sitzt und ihr zusieht, wie sie eine Banane isst, Tee mit Honig trinkt.

Clara sagt, ihr fresst uns auf. Stimmt das, Ava?

Avas Lachen klingt erstaunt. Empört und ein wenig ertappt.

An den Tagen, an denen Stella bis zum Mittag frei hat, bringt sie Ava mit dem Rad in den Kindergarten, fährt zurück nach Hause, lässt das Fahrrad im Vorgarten stehen, schließt die Haustür auf, betritt den Flur und empfindet eine so deutliche Dankbarkeit, als wäre alles um sie herum zeitlich begrenzt, als gäbe es keine einzige Sicherheit von Dauer. Sie könnte gar nicht sagen, wie sie diese Vormittage, drei oder vier Stunden, dann verbringt. Sie räumt die Küche auf. Sie wäscht sich die Haare. Sie schreibt eine Karte an Clara, sie liest etwas in der Zeitung, sie liest ein Buch, sie wäscht Avas Sachen, arbeitet Jasons Post und die Rechnungen durch, sieht nach den Pflanzen in den Tontöpfen auf dem Fensterbrett, sie drückt den Zeigefinger in die Erde um die Wurzelstöcke herum und knickt die verblühten Ästchen ab, so wie Jason das immer macht. Sie steht am Küchenfenster und schaut über den Garten auf die Wiese raus, auf die Formationen von dunklen, schimmernden Wolken weit weg über der Stadt. Dann kocht sie eine Kanne Tee. Sie schaltet das Radio ein und hört einer Reisereportage zu, sie schaltet das Radio wieder aus. Sie steigt die Treppe hoch und legt die gebügelte, gefaltete Wäsche in Avas Kommode. Steht in Avas Zimmer und sieht sich das Stillleben auf Avas Tisch an, ein angebissener Apfel, eine Memorykarte, feine Buntstiftspäne, ein Saftglas. Sie möchte das aufräumen; sie möchte, dass das genau so bleibt.

Sie muss in einer Viertelstunde gehen. Sie muss gehen. Jetzt muss sie los.

Drei Tage später ist Stella mittags alleine zu Hause, und sie wäscht das Geschirr ab, als es an der Tür klingelt. Ihre Teetasse, Avas Tasse, zwei Teller, ein großes und ein kleines Messer, Stella wäscht ein Glas ab um drei Minuten vor zwölf, es klingelt an der Tür. Sie spült sich den Schaum von den Händen und stellt den Wasserhahn unwillig aus. Sie trocknet ihre Hände am Geschirrtuch ab, geht in den Flur und sieht sich kurz im Spiegel an, sie wird nicht mehr vergessen, dass sie an diesem Mittag eine Jeans und ein zerknittertes graues Hemd voller Wasserflecken angehabt hat, die Haare mit einer Spange von Ava zusammengebunden, sie ist etwas müde, sie möchte niemandem die Tür aufmachen, möchte auch gar nicht sprechen, nichts davon wird sie vergessen.

Stella dreht den Schlüssel im Schloss und sieht gleichzeitig durch das Fenster neben der Tür in den Garten raus, zum Zaun hin, zum Tor im Zaun, selbstverständlich ist das Tor geschlossen. Sie will die Tür aufmachen, aber dann nimmt sie die Hand vorsichtig von der Klinke; auf der Straße vor dem Tor steht ein Mann, den sie nie zuvor gesehen hat. Ein junger Mann, vielleicht dreißig, zweiunddreißig Jahre alt. Nicht der Postbote, kein Zeitungsausträger, kein Lieferant und auch nicht der Schornsteinfeger, ein Mann ohne eine Ausrüstung, ohne Tasche, ohne Rucksack, ohne einen Blumenstrauß, ein Mann in einer hellen Hose, dunklen Jacke, durch nichts zu identifizieren. Eine Erscheinung. Er hat die Hände in den Hosentaschen. Den Kopf schief gelegt, und er sieht zum Haus hin, er sieht die Haustür an, vielleicht das Fenster neben der Haustür.

Was hält sie davon ab, die Tür zu öffnen, durch den Garten auf ihn zuzugehen und das Tor aufzumachen, so wie sie es sonst tun würde.

Weiß ich nicht, wird Stella später zu Clara sagen. Kann ich dir nicht beantworten, diese Frage. Ich hab die Tür nicht aufgemacht, ich bin zurückgeschreckt. Vor was?

Der Mann draußen auf der Straße wartet. Dann nimmt er die Rechte aus der Hosentasche und klingelt noch einmal, und Stella spürt plötzlich – es macht sie fast ärgerlich –, dass ihr Herzschlag sich beschleunigt, langsam, stetig, als würde ihr Herz etwas begreifen, das Stella noch nicht begriffen hat. Sie nimmt, ohne den Blick von dem Fremden abzuwenden, den Hörer der Sprechanlange von der Wand, hält ihn ans linke Ohr und sagt, ja.

Der Mann draußen auf der Straße beugt sich runter. Stella hat keine Ahnung, wie laut oder leise ihre Stimme auf der Straße klingen wird, sie kann sich nicht erinnern, diese Gegensprechanlage je benutzt zu haben. Er spricht in die Anlage hinein, sie meint, seine Stimme an ihrem Ohr und gleichzeitig von der Straße her hören zu können, seine Stimme an ihrem Ohr klingt deutlich belegt. Wie die Stimme von Leuten, die Tabletten nehmen, unter Medikamenten stehen, eindeutig, Stella kann das hören, sie kennt sich da aus.

Er sagt, guten Tag. Wir kennen uns nicht. Sie kennen mich nicht. Ich kenne Sie aber vom Sehen, und ich würde mich gerne mal mit Ihnen unterhalten. Haben Sie Zeit.

Das ist keine Frage. Keine wirkliche Frage, und es klingt auch aufgesagt, etwas Auswendiggelerntes.

Haben Sie Zeit.

Stella hält den Hörer ein Stück von sich weg. Soll das ein Witz sein? Sie ist sich fast nicht sicher, ob sie ihn richtig verstanden hat. Der Mann draußen steht leicht gebeugt vor ihrer Klingelanlage und wartet auf eine Antwort. Er wiederholt das nicht noch mal. Das sagt er nicht noch einmal, sie hat schon richtig verstanden.

Also hält sie den Hörer fest und sagt laut und deutlich, ich hab keine Zeit. Geht nicht. Verstehen Sie, was ich meine? Wir können uns nicht unterhalten, ich hab nämlich überhaupt keine Zeit, gar keine.

Schade, sagt der Mann vor ihrem Haus. Na dann. Vielleicht ein anderes Mal.

Er richtet sich auf und sieht wieder zur Haustür hin. Klar und deutlich zum Fenster hin, hinter dem er Stella, glaubt sie, eigentlich nicht sehen kann, aber offenbar doch vermutet. Er steht einen Augenblick ausdruckslos da, hebt die Hand wie zu einem Gruß, aber vielleicht soll das auch was anderes sein. Dann dreht er sich um und geht vom Zaun weg zur Straßenecke.

Stella kann ihn nicht mehr sehen.

Sie hängt den Hörer zurück an die Wand und stolpert vom Flur in Jasons Zimmer hinein. Jasons Zimmer ist kühl und ein wenig verlassen, so vertraut, gar nicht mit dem zusammenzubringen, was sie hier hereinstolpern lässt. Sie schiebt Jasons Stuhl beiseite und tritt ans Fenster, fegt unabsichtlich, fahrig drei Stifte und ein Blatt Papier vom Schreibtisch und erschrickt darüber, beugt sich vor und sieht auf die Straße, der Mann ist an der Straßenecke stehen geblieben, an der Ecke ihres Grundstückes und mit dem Rücken zum Haus, da steht er. Sieht die Straße rauf. Und runter. Auf der linken Seite liegen Häuser wie dieses, auf der rechten der Wald, die Straße läuft auf die Hauptstraße zu, am Ende der Straße beginnt schon der Verkehr. Autos von rechts und links. Andere Menschen.

Der Mann an der Ecke dreht sich jetzt eine Zigarette. Sieh an, das ist etwas, was er dabei hat – Tabak. Er hat Tabak und Blättchen dabei, er holt das aus der Jackentasche raus. Er dreht langsam und sorgfältig, vielleicht aber auch unbeholfen, vielleicht zittert er auch, das ist nicht zu erkennen, Stella jedenfalls zittert leicht. Er zündet sich seine Zigarette mit einem Feuerzeug an und raucht. Das dauert eine Weile. Stella sieht ihm beim Rauchen zu. Zwischen ihnen zerdehnt sich die Zeit. Sie denkt, ich sollte wegsehen, aber sie kann nicht wegsehen. Sie sieht hin, sieht zu, wie er atmet. Die Zigarette auf den Gehweg schnickt, die Hände in die Hosentaschen steckt, losgeht, den Waldweg runter auf die Hauptstraße zu. Bis er nicht mehr zu sehen ist; später wird sie denken, das war schon zu viel.

Sie tritt vom Fenster weg und atmet aus. Sie hebt die Stifte und das Blatt Papier auf und legt sie auf den Schreibtisch zurück, schiebt den Stuhl wieder an den Tisch, über der Lehne des Stuhls hängt Jasons Hemd, und Stella zieht es glatt, als hätte Jason sie bei etwas ertappt. Jasons Zimmer ist so unordentlich. Es hat einen eigenen Geruch nach Terpentin, Holz und Metall, nach Getriebeöl, nach Gras. Der Rechner auf dem Schreibtisch ist schwarz. Die Ziffern der Wetterstation auf dem Fensterbrett kippen von 12:19 auf 12:20, von Westen her ziehen digitale Regenwolken heran. Der Mann auf der Straße hatte unbeschäftigt ausgesehen, als hätte er alle Zeit der Welt. Er hatte auch verwahrlost ausgesehen, eine Andeutung von Verwahrlosung nur, eine Spur. Er hatte ausgesehen wie ein absolut freier Mensch, was ist denn daran so beunruhigend, sagt Stella laut, sie geht aus dem Zimmer, macht die Haustür auf und tritt in den Garten hinaus, als würde sie sich das Recht dazu zurückholen. Wie kühl es ist, herrlich und still. Was genau ist beunruhigend an einem freien Menschen.

Stella geht um Viertel nach eins aus dem Haus. Sie schiebt das Fahrrad auf die Straße, zieht das Tor hinter sich zu, bleibt stehen und sieht sich ihr Haus von außen an. Sie steht, wo der Fremde gestanden hat. Sie sieht sich ihre Haustür an, das schmale Fenster neben der Haustür, hinter diesem Fenster war sie, und er hat das gewusst.

Was gibt es zu sehen?

Ein Haus aus Backstein mit einem moosigen Ziegeldach. Eine Haustür mit eingefassten Bleiglasscheiben, zur Linken eine Bank aus Holz, neben der Bank ein Olivenbäumchen in einem Tontopf, unter der Bank Avas Gummistiefel, Stella weiß gar nicht, wie die da hingekommen sind, seit wann sie da schon stehen. Rechts von der Haustür das Panoramafenster, deutlich sichtbar der Sessel, die zerknautschte Decke über der Armlehne, die Bücher in Stapeln und auf dem breiten Fensterbrett Kissen, ein Stoffzebra und ein Teeglas, eine Flasche Wasser und etwas Kleines, von dem Stella glaubt, dass es Jasons Brillenetui ist. All das ist zu sehen, einen Augenblick lang ist sie fassungslos über

diese Ausstellung von Privatem, über ihre Gedanken-
losigkeit. Der Fremde auf der Straße hat sich das ansehen können, und sie hat's zugelassen, sie hat es ja erst
möglich gemacht. Was ist das eigentlich – eine Rück-
sichtslosigkeit?

Sie steigt aufs Fahrrad und biegt links in den Waldweg ab. Sie überquert die Hauptstraße an der großen
Kreuzung und verliert die Spur des Fremden, wenn es
denn überhaupt eine gab. Sie fährt am Einkaufscenter
vorbei, über den Parkplatz, auf dem die Center-Fah-
nen knattern und die Fahnenketten klirren, ein Geräusch, das wild klingt und das Ava liebt, sie biegt in
die neue Siedlung ein. Große, individuelle Einfamilien-
häuser, auf deren Terrassen Familien wie aufgestellt
sitzen und dem kalten Maiwind trotzen, Hunde stürzen ans Gartentor und werden großzügig zurückge-
pfiffen. Stella fährt durch den Kiefernweg, den Pinien-
weg, Tannenweg ins Zentrum der Siedlung, sie fährt
diesen Weg jeden Tag, im Zentrum ist Avas Kindergarten, der Park, das Büro der Pflegestation im Gemeindehaus. Sie ist nicht bei der Sache. Unkonzentriert, passt nicht auf, sie ist froh, als sie das Rad vorm
Gemeindehaus abstellen kann. Die Tür ist offen, der
Zugwind weht durchs Foyer, in dem die Leselämp-
chen auf kleinen Tischen brennen, an denen niemals jemand sitzt. Stella ist oft eine halbe Stunde vor
Schichtbeginn im Büro, sie trinkt fast immer einen

Kaffee mit Paloma. Paloma ist fünfzig Jahre alt, groß und hager, ihr Ausdruck ist verächtlich und melancholisch zugleich. Sie passt manchmal auf Ava auf, sie ist neugierig, aber nicht zu neugierig, es gibt Tage, an denen Stella mit Paloma über Ava spricht, manchmal auch über Jason, und wenn nicht über Jason, dann doch ab und an über ihre Träume, über eine Unruhe, die vom Wetter kommen kann oder von was anderem. Paloma hat eine Vorliebe für schwedische Kriminalromane. Sie trägt fast immer schwarze Kleider und folkloristische Ketten dazu. Sie sieht wie eine Schauspielerin aus einem Stummfilm aus, aber vielleicht denkt Stella das, weil Paloma oft telefoniert und währenddessen Schlüssel austeilt, Wochenpläne über den Schreibtisch schiebt und mit Händen und Augen Andeutungen macht, die Stella so oder so oder völlig anders verstehen könnte. An diesem Mittag telefoniert Paloma mit ihrer Mutter, möglicherweise mit ihrer Mutter. Sie wird oft unterbrochen, das ist unüblich, und ihre Stimme schwankt zwischen Gereiztheit und Nachsicht.

Ja. Nein. Ich kann dir nicht immer dasselbe sagen. Du mutest dir viel zu wenig zu. Du musst dich bewegen, du musst deine Gewohnheiten ändern. Setz die Mütze auf und geh aus dem Haus.

Stella tritt hinter den Schreibtisch, nimmt Esthers Schlüssel vom Haken, trägt sich in den mit Änderungen und Vertretungen schon völlig zugekritzelten Wochenplan ein. Sie würde gerne warten, bis Paloma ihr Gespräch beendet hat. Sie würde gerne zu Paloma sagen, stell dir vor, heute hat ein Fremder an unserer Tür geklingelt. Er hat gesagt, er würde gerne mit mir sprechen, aber ich kenne den gar nicht, ich habe ihn nie zuvor gesehen.

Wie würde sich das anhören?

Es würde sich nicht normal anhören.

Aber trotzdem könnte sie das so sagen, erröten und dann darüber lachen, und mit dem Lachen würde vielleicht dieses unangenehme Gefühl weggehen, ein Unbehagen, Unruhe, als hätte sie etwas übersehen. Sie tritt vor den Schreibtisch, halt dich doch einfach ein einziges Mal an die Abmachungen, sagt Paloma, hält den Hörer von sich weg und die Muschel zu, rollt die Augen zur Zimmerdecke und flüstert, gütiger Gott. Bis später, sagt Stella lautlos. Sie zeigt auf die Uhr, spreizt vier Finger ab. Sie geht aus dem Büro, geht an den leeren Tischen, an den Ausstellungskästen vorbei, in denen die Bilder der Schulkinder mit bunten Magneten befestigt sind, riesenhafte Sonnen, lächelnde Blumen, Kinder aller Kontinente Hand in Hand. Sie grüßt den Hausmeister. Knöpft ihre Regenjacke zu, tritt aus dem Foyer.

Esther ist zweiundachtzig Jahre alt. Sie ist nicht Stellas Lieblingspatientin, aber auch keine, die nicht auszuhalten wäre. Es ist das beste, keinen Lieblingspatienten zu haben, Stella mag ohnehin Dermot am liebsten, Julias Mann. Esther liegt im Bett, eigentlich steht sie noch jeden Nachmittag auf und geht vom Schlafzimmer rüber ins Wohnzimmer oder in die Küche, seit einigen Wochen aber will sie liegen bleiben, vor sich hin dämmern, vielleicht einen gebutterten Toast mit ein wenig Orangenmarmelade essen, Tee dazu trinken und das Fenster alle zwei Minuten öffnen und wieder schließen lassen; keine gute Laune, hat der Pfleger im Abenddienst ins Stundenbuch geschrieben. Esthers Schlafzimmer ist klein. Ihr Bett steht vor einer Bücherwand, wenn Esther auf der Seite liegt, greift sie sich wahllos ein Buch aus dem Regal, schlägt es auf, liest einen Satz vor, schüttelt den Kopf über das Gelesene und lässt das Buch hinter sich aus dem Bett fallen. Das Nachttischchen ist vollgestellt mit Medikamenten, Tablettenschienen, Wassergläsern, verschiedenen Uhren, Brillen, Thermometern und Verbandskästen, Esthers Haut ist dünn wie Pergament, zerknittert, sie reißt wie Papier. Das Zimmer riecht nach Alter und Krankheit, aber auch nach etwas anderem, nach Weihrauch und Myrrhe, Esthers Zigarren, dem Staub der Bücher, den Blumen, auf denen Esther besteht, in großen gläsernen Vasen. Das Fenster offen, das Radio läuft, ein desinteressierter, schläfriger Vortrag, ein Gefasel, so empfindet Stella das, über etwas Scheinbares, ein Gefasel aus der Schattenwelt. Sie kommt mit Esther endlich aus den Gedanken und in den vertrauten Rhythmus der Berührungen, Abläufe, Verpflichtungen, Zählen von Tropfen, Leeren von Schläuchen, Töpfen, Eimern, Esthers Spuckbecher, das Glas für ihre Zähne, die Schüssel für die warme Seifenlauge, seien Sie nicht so träge, Esther, helfen Sie mal bisschen mit, und Esther zieht sich am Haltegriff des Galgens über ihrem Bett hoch und setzt sich auf, lässt die Beine über die Bettkante baumeln mit demselben Ausdruck wie Ava manchmal, trotzig, verhalten, vorgetäuscht abwesend; sie sagt, ich habe kalte Füße, machen Sie das Fenster zu, machen Sie doch endlich das Radio aus, ziehen Sie mir Socken an, ich möchte diese flauschigen Socken, die Ricarda für mich gestrickt hat, Ricarda ist Esthers Tochter, und Stella weiß gar nicht mehr, wann sie sie hier das letzte Mal gesehen hat. Esthers Augapfel ist rotgeädert, die Iris darin von einem hellen, tiefgründigen Blau. Sieben Tropfen ins linke, sieben Tropfen ins rechte Auge. Blutdruck im Keller. Gestern Abend war er aber auf hundertachtzig. Woran lag das, Esther? Manchmal können sie miteinander scherzen, eine Sprache finden, die sie auf eine Stufe stellt, zwei Leute, die sich gezwungenermaßen anfassen, berühren, austauschen. Es könnte auch umgekehrt sein, Esther könnte es sein, die Stella wickelt, diese Ordnung hier ist ein Zufall, mehr nicht. Haben Sie Fieber? Kommen Sie her, Esther, heben Sie den Arm hoch und halten Sie das Thermometer fest, Sie fühlen sich ganz heiß an.

Esther sagt, Blödsinn.

Stella presst einen Tropfen Blut aus ihrem Ohrläppchen, misst den Blutzuckerspiegel, trägt Esthers katastrophale Werte in die Tabelle des Stundenbuches ein, als wären sie nicht katastrophal. Sie rechnet und zählt Tropfen und Tabletten, und Esther redet währenddessen vor sich hin und springt von einem Thema in ein anderes, von einem lange vergangenen Jahr ins Hier und Jetzt, von einer Verdächtigung in eine zerbrechliche Erinnerung, von der Erinnerung in den jäh aufflackernden Schmerz im Rücken oder in den Augen oder der Brust, dem Knie, den Gelenken der Finger, dem Kopf, dem After, dem Rücken.

Seien Sie nicht so grob, Stella. Wo sind Sie mit Ihren Gedanken, ziehen Sie nicht immer die Augenbrauen zusammen, Sie werden im Alter aussehen wie ein böser Papagei.

Esther kichert.

Stella wäscht Esther das Gesicht. Sie wäscht Esthers Hände, ihren Rücken, ihre Achseln, ihr Geschlecht. Esthers Füße, Esther ist sehr stolz auf ihre Füße, sie sind das Einzige an ihrem Körper, das unversehrt erscheint, die schmalen Füße einer Tänzerin.

Haben Sie Hunger?

Nein.

Esther möchte nichts essen, aber sie behauptet, das Toastbrot sei ausgegangen, Stella soll einkaufen gehen, Stella findet in Esthers Küche Toastbrote für Monate, sie geht trotzdem einkaufen. Steht im Supermarkt am Zeitungsstand ans Regal gelehnt und liest die Horoskope für diese Woche, sie fühlt sich müde, die Kaufhausmusik hat etwas Trauriges, Stella scheint es, als würde die Beleuchtung in Zeitlupe ausgedreht. Als sie zurückkommt, ist Esther eingeschlafen. Oder sie tut so, als würde sie schlafen, und Stella zieht leise den Vorhang zu, macht den Rest der Arbeit, sie putzt das Bad und die Küche, räumt den Wohnzimmertisch auf, stapelt die Tageszeitungen des ganzen Frühjahrs aufeinander, sie sieht im Fernsehprogramm nach, was Esther angekreuzt hat, was sie sehen will oder sehen könnte, eine Reisereportage über die Mongolei, eine politische Gesprächsrunde, ein Konzert in Venedig, ein Themenabend über die Sterblichkeit. Stella bestreicht einen gebutterten Toast mit Orangenmarmelade und schneidet ihn in winzige Quadrate, sie kocht Kaffee, stellt das Brot und den Kaffee an Esthers Bett und setzt sich eine Weile auf den Stuhl daneben. Sie sitzt an Esthers Bett, so, wie sie manchmal an Avas Bett sitzt. Die Zeiger der großen Uhr an der Wand über dem Bücherregal fallen und bleiben stehen und fallen dann weiter.

Ich geh jetzt los, Esther, sagt Stella. Der Abenddienst kommt um acht. Passen Sie auf sich auf, bleiben Sie vernünftig.

Esther antwortet nicht.

Stella schreibt ins Stundenbuch, schläft, gibt vor zu schlafen. Sie zieht in der Diele ihre Regenjacke an und schließt die Haustür hinter sich zu, fährt zum Gemeindehaus zurück, trägt sich im Wochenplan aus und hängt Esthers Schlüssel ans Bord hinter Palomas Schreibtisch. Paloma ist schon weg, sie verlässt das Büro jeden Tag so ordentlich, als käme sie nie mehr wieder. Das Foyer ist ausgestorben, der Farn in den großen Kübeln steht still wie vor einer Explosion. Die Idylle der Kinderbilder in den Glaskästen sieht plötzlich hässlich und fragwürdig aus. Am Ende des Ganges wirtschaftet der Hausmeister auf Knien im Zwielicht an einer Steckdose herum.

Schönen Feierabend.

Gleichfalls.

Die Eingangstür weit offen, draußen die wirkliche Welt.

Stella holt Ava vom Kindergarten ab.

Sie darf Ava endlich vom Kindergarten abholen. Sie

zieht ihr in der Garderobe die Hausschuhe aus und die Straßenschuhe an, Ava kann das alles schon alleine, sie ist vier, sie wird bald fünf. Aber am Ende eines langen Tages im Kindergarten ist sie so müde, dass sie ihre Eigenständigkeit vergisst und Stella die ausgestreckten Beine hinhält, kleine dicke Beine in verkehrt herum angezogenen Strumpfhosen, Stella ist dankbar dafür. Ava ist nicht das letzte Kind, das abgeholt wird. Es sind noch sechs oder sieben Kinder da, ihre Jacken hängen an den Garderobenhaken, neben den Haken kleben Bildchen, Traktoren, Blumen, Schmetterlinge, neben Avas Haken klebt eine Schnecke, über die Ava seit ihrem ersten Tag im Kindergarten bekümmert ist und bleibt. Ava hat so schwarze Haare und schwarze Augen wie Jason. Sie ist so eigensinnig wie Jason. Sie ist einzelgängerisch und verstockt wie Jason. Sie ist zärtlich und ungeduldig. Vielleicht so ungeduldig wie Stella. Die Erzieherinnen haben Stella gefragt, ob sie Ava genügend bestätigen würde, Stella hat die Frage nur schwer verstanden. Ob sie Ava genügend bestätigen würde? Sie bestätigt Ava von früh bis spät, sie fürchtet manchmal, sie bestätige sie zu viel. Warum diese Frage? Weil Ava sich nicht traut. Weil sie sich zurückhält, weil sie nicht losrennt, kein Gedicht aufsagen und beim Morgenkreis nicht in die Mitte treten will. Weil sie sich beim Fasching nicht verkleiden möchte, weil sie sich nur zu Hause verkleiden möchte.

All diese Dinge gehören zusammen, die Erzieherinnen beobachten Ava genau. Ich bestätige Ava, hat Stella gesagt, natürlich tue ich das. Sie nimmt Avas rundes Gesicht in die Hände und küsst sie auf beide Wangen. Ava. Avenka. Wie war dein Tag.

Hasen können struppiges Fell haben, sagt Ava. Wie Hunde. Sie können so struppig sein wie ein Hund, wusstest du das, und sie rutscht von der Bank und schleift ihre Jacke hinter sich her, sie sagt, mach das Licht aus, Mama, du darfst nicht vergessen, das Licht auszumachen, warum muss ich dir das eigentlich immer wieder sagen.

Stella schaltet das Licht in der Garderobe aus. Sie sagt zu Ava, und du musst winken, und sie winken zusammen den Erzieherinnen zu, die draußen auf der Wiese mit den letzten Kindern um den runden Gartentisch herumsitzen, die Kinder haben die Köpfchen auf die Tischplatte gelegt, auf dem Tisch steht die unvermeidliche Kanne Pfefferminztee, bunte Plastikbecher daneben, Stella meint zu wissen, wie der Tee riecht und wie er schmeckt. Sie schnallt Ava auf dem Fahrrad im Kindersitz an und fährt aus dem Hof. Die Parkwege sind so grün, dass sie fast dunkel wirken, und aus dem Dickicht am Wegesrand kommen die Pfauen hervor und ziehen ihre langen Federschleppen schwer durch den Sand.

Stella und Ava fahren nach Hause. Durch die neue Siedlung, durch den Tannen-, Pinien-, Kiefernweg, am Einkaufscenter vorbei, über die Hauptstraße hinweg rüber in die alte Siedlung, in der jetzt einige Autos vor den Häusern parken und die Türen offen stehen, es riecht nach Flieder, Grillkohle und Spiritus, nach Nachbarschaft. Stella schließt das Tor auf, schiebt das Rad in den Garten, hebt Ava aus dem Kindersitz und hört das Tor hinter sich zufallen, sie achtet auf das feste Geräusch des einrastenden Schlosses.

Was essen wir heute?

Eierkuchen. Mit Apfelmus und Zimt und Zucker.

Ich esse sieben, sagt Ava. Sieben Stück, da kannst du sicher sein.

Stella wäscht sich die Hände über der Spüle in der Küche. Sie hört den Anrufbeantworter ab – eine Nachricht für Jason, eine Nachricht von Paloma wegen des Wochenplans und Claras Stimme, gelassen und freundlich, Stella, ruf mal wieder an, ich denke an dich. Ist alles in Ordnung?

Stella macht die Wintergartentür weit auf. Sie schaltet das Radio an, räumt die Waschmaschine aus, rührt den Eierkuchenteig, singt zum Radio, trinkt Tee im Korbstuhl im Garten und sieht Ava zu, die im Sandkasten Spiralen aus Muscheln legt, sie hört Avas Selbstgespräch zu, Fragen und Abzählreime, geflüsterte Rätsel. Morgen früh hol ich der Königin Kind. Der Abend ist kühl, und vom Feld her kommt die Feuchtigkeit fast greifbar in den Garten. Sie essen in der Küche am Tisch, sie sitzen sich gegenüber, Ava und Stella unter der Lampe in Gesellschaft der Stimmen aus dem Radio, dem Wechsel von Kriegsnachrichten, Klimakatastrophen und Jazz, nimm nicht so viel Zucker, sagt Stella, nimm lieber mehr Apfelmus, ich esse nie wieder im Kindergarten, sagt Ava, nichts mehr esse ich da, wenn ich noch ein einziges Mal was im Kindergarten esse, muss ich mich übergeben. Sie sieht Stella lange und prüfend an. Stella hält durch und sagt nichts dazu. Ava isst fünf Eierkuchen. Sie sagt, in meiner Gruppe ist ein Junge, der heißt Stevie. Dann steht sie auf, kommt um den Tisch herum und setzt sich auf Stellas Schoß, schlingt die Arme fest um Stellas Hals.

Der Himmel draußen wird dunkelblau und an den Rändern schwarz. Im Haus nebenan und im Haus gegenüber gehen die Lichter an. Avas Badezusatz duftet nach Pfirsich und Melone, die Bettdecke knistert, der Schlafanzug ist weich wie ein Maulwurfsfell. Stella bringt Ava ins Bett, sie liest vor, sie singt vor. *Es wieget sich der Birnenbaum, er wiegt sich wie im Traum.* Stella glaubt, dass sie Avas Einschlafen, Avas Ende vom Tag mehr Zuversicht, mehr Selbstverständnis geben müsste. Sie müsste pragmatischer sein, so wie sie es mit Esther, Julia, Walter ist, sie müsste die Tür des Kinderzimmers mit pragmatischer Autorität hinter sich zuziehen und mit fester Stimme rufen, gute Nacht! Jetzt schlaf schön. Schlaf! Aber ihr fällt das schwer. Das Zimmer ist noch sicher, und der Globus leuchtet, der Atlantik leuchtet. Aber die Nacht ist die fixere Größe. Ava weiß das nicht, Stella meint, das zu wissen. Morgen früh, wenn Gott will.

Wann kommt Papa wieder, sagt Ava. Vielleicht weiß sie es doch.

In drei Tagen, sagt Stella. Noch dreimal schlafen, dann kommt Papa wieder.

3

Der Fremde kommt am nächsten Tag wieder, zur selben Zeit. Offenbar weiß er, wann Stella zu Hause ist und wann sie alleine zu Hause ist. Stella ist in der Küche und sucht im Schrank unter der Spüle nach der Bürste für Avas Schuhe, als es an der Tür klingelt, und obwohl sie in keiner Weise an ihn gedacht, obwohl sie eigentlich nicht angenommen hat, dass er so schnell wiederkommen würde – obwohl sie ihn tatsächlich vergessen hat, fällt er ihr sofort wieder ein. Sie weiß, wer da klingelt. Sie weiß, dass das nicht der Briefträger, kein Bote und auch nicht die Nachbarin ist, kein Kind, das eine Luftpumpe braucht, leider nicht der Schornsteinfeger und auch nicht der Mann vom Gaswerk. Sie stellt den kleinen Koffer, in dem Jason das Schuhputzzeug aufbewahrt, vor der Spüle ab und kommt hoch, ihre Kniegelenke knacken, als sie aufsteht, und ihr wird einen Moment lang schwindelig.

Sie geht aus der Küche durch den Flur zur Haustür, sie sieht aus dem Fenster und nimmt den Hörer von der Gegensprechanlage, sie sagt, ja.

Ja, während sie den Fremden ansieht, der in derselben Kleidung wie gestern auf der Straße vor ihrem Gartentor steht, mit den Händen in den Jackentaschen und einem, soweit Stella das auf diese Entfernung sehen kann, wie gestern vollständig ausdruckslosen Gesicht; sie kann sein Gesicht nicht wirklich erkennen, aber seine Aura ist ausdruckslos, und die Art und Weise, in der er sich jetzt zur Gegensprechanlage runterbeugt und die Hände nicht aus den Jackentaschen nimmt und auch nicht zu ihr hinsieht, sondern das Gesicht dem Gehweg zugewandt hält, diese Art und Weise ist so tonlos, dass Stella kalt wird.

Hallo. Ich bin's. Ich wollte fragen, ob Sie vielleicht heute Zeit für ein Gespräch haben.

Nein, sagt Stella. Sie spürt, dass sie in den Knien zittert, sie ist verwundert darüber, wie schnell das gehen kann. Zittert sie tatsächlich schon wieder? Sie zittert, Tatsache.

Sie sagt, nein, hab ich nicht. Ich habe auch heute keine Zeit. Ich werde auch morgen keine Zeit haben, ich habe an und für sich keine, entschuldigen Sie bitte, tut mir leid.

Der Mann draußen auf der Straße sagt, Sie müssen sich nicht entschuldigen. Das haben Sie doch gar nicht nötig. Er bleibt vornübergebeugt stehen, während er das sagt, und betrachtet das Gras zwischen den Gehwegplatten. Er hustet.

Stella hängt den Hörer ein.

Das scheint er zu verstehen, er richtet sich auf und streckt sich ein wenig, fast sieht es so aus, als würde er gähnen.

Das haben Sie doch gar nicht nötig. Was an dieser Bemerkung ist eine Zumutung? Warum ist diese Bemerkung eine Unverschämtheit, hinter der sich etwas zu verstecken scheint, in Stellas Kopf taucht das Wort Drohung auf wie eine Warnung. Ihr Mund ist trocken, und ihr Herz schlägt knapp. Sie sieht den Fremden zur Straßenecke gehen. Sie sieht ihm von Jasons Fenster aus beim Rauchen zu, sie wünscht sich, dass er sich umdrehen möge, einmal nur, umdrehen und zu Jasons Zimmer hinsehen, und sie zischt das, dreh dich um. Aber der Fremde ist deutlich der Stärkere. Er raucht, sorgfältig wie gestern, dann schnickt er die zu Ende gerauchte Zigarette aufs Pflaster, spaziert davon.

Stella kann sich später nicht mehr daran erinnern, ob sie nicht doch gesagt hat, sie wisse selber, was sie nötig habe und was nicht. Hat sie das gesagt? Ich weiß selber, was ich nötig habe und was nicht, und dann den Hörer eingehängt? Oder hat sie es nur gedacht, ist sie nicht schnell, nicht angriffslustig genug gewesen, um das laut zu sagen. Sie kann sich nicht erinnern, aber sie erinnert sich deutlich an das Gefühl der Demütigung und an den Entschluss, das letzte Mal mit diesem Mann gesprochen zu haben. Von nun an nicht mehr zur Tür zu gehen, wenn es klingelt. Zweimal zur Tür gegangen zu sein, ist genug, ein drittes Mal wird es nicht geben, und ob er überhaupt ein drittes Mal klingeln wird, muss sich erst zeigen.

Am Abend schließt sie die Haustür von innen ab.

Sie wartet, bis Ava eingeschlafen ist, nimmt das Telefon mit in die Küche, aber dann überlegt sie es sich anders, sie ruft Jason doch nicht an. Sie sitzt in der Küche am Tisch, liest die Zeitung und trinkt ein Bier aus dem Kühlschrank, sie liest eine Reportage über Kalkutta und dann noch eine über Sibirien und dann irgendetwas anderes. Zwischen den Zeilen sieht sie hoch, und sie sieht sich selbst von außen, von einem Blickpunkt außerhalb des Hauses, einem Winkel im Garten vielleicht, vom Zaun aus, im hohen Gras der wilden Wiese. Sie sieht eine Frau alleine an einem Tisch unter einer Lampe sitzen, lesend.

Das bin ich, denkt Stella. Das bin ich. Stella.

4

Am Vormittag darauf klingelt es um kurz vor zehn, und es klingelt, als stünde fest, dass Stella nicht zur Tür kommen wird. Beiläufig, nebenher. Viel kürzer als gestern oder vorgestern, ein Klingeln von jemandem, der nur sagen will, hier bin ich, ich bin da, stehe vor der Tür.

Stella sieht ihn. Sie sitzt oben in ihrem Zimmer am Schreibtisch, und sie sieht ihn, sie sitzt, seitdem sie Ava in den Kindergarten gebracht und zurück nach Hause gekommen ist – ihre Schicht bei Esther beginnt in anderthalb Stunden –, in ihrem Zimmer am Schreibtisch am Fenster und wartet, sie hat ihn kommen sehen. Er kommt von links. Nicht von der Hauptstraße her, vom Einkaufscenter, der Buslinie, aus der neuen Siedlung – er kommt von links, aus ihrem Viertel. Taucht am Rand des Grundstückes auf, läuft schleppend und zielstrebig zugleich am Zaun lang, bleibt vor dem Gartentor stehen, dreht sich um und klingelt und greift fast gleichzeitig in die Innentasche seiner immer gleichen Jacke, holt etwas Weißes heraus, einen Umschlag.

Er lässt den Umschlag in den Briefkasten fallen, der am Zaun angebracht ist, und sieht zu Stellas Zimmer hoch. Dann überquert er die Straße, biegt in den Waldweg ein, geht zur Hauptstraße runter und verschwindet.

Stella sitzt eine Weile an ihrem Schreibtisch. Zurückgelehnt, die Hände im Schoß gefaltet. Aus den Bäumen im Garten gegenüber fliegt ein Schwarm Spatzen hoch, wie von einer großen Hand in die Luft geschleudert. Unten in der Küche springt die Gastherme an und wieder aus. Vier Minuten, fünf. Dann steht sie auf.

Die Luft draußen im Garten ist wunderbar. Duft nach einem späten Frühling, nach Waldmeister und Buchs. Kein Aufschub möglich. Stella schließt den Briefkasten auf, und der weiße Umschlag fällt ihr in die Hand wie etwas, das nun nicht mehr zu ändern ist.

Der Umschlag ist aus einfachem Papier, akkurat beschriftet. Stellas Vor- und Zuname, Straße, Hausnummer und Postleitzahl ordnungsgemäß ausgeführt in einer geschwungenen, femininen Schrift, mit einer Briefmarke versehen, als hätte der Absender darüber nachgedacht, diesen Brief von der Post überbringen zu lassen, und es sich erst im letzten Augenblick noch einmal anders überlegt. Die Briefmarke ist neutral, unauffällig, der Kopf einer Königin vor grünem Grund. Stella dreht den Brief um. Es gibt anscheinend nichts zu verbergen, auf der Rückseite stehen Name, Straße, Hausnummer und Postleitzahl in derselben selbstverständlichen Schrift:

Mister Pfister.

Mister Pfister ist der Absender dieses Briefes, und er wohnt, wie Stella lesen kann, in derselben Straße wie sie. Sieben oder acht Häuser weiter, sie sind Nachbarn, es macht keinen Sinn, einen Brief der Post zu übergeben, wenn man ihn auch selber einwerfen kann, einen solchen Brief wirft Mister Pfister einfach persönlich ein, das ist kein Umstand für ihn.

Stella kennt ihre Nachbarn nicht. Die Gegend ist verschlossen, die Leute nehmen hier keinen Kontakt zueinander auf. Im Haus nebenan wohnt eine Studentin mit wechselnden Untermietern, im Haus daneben eine asiatische Familie mit halbwüchsigen Kindern, im Haus gegenüber ein pensionierter Lehrer, weiter ist Stella nicht gelangt. Mister Pfisters Nachbarschaft verengt den Radius von einem auf den nächsten Augenblick. Sie hatte gedacht, er würde einfach wieder verschwinden. Sie hatte nicht angenommen, dass er so nah wäre, schon die ganze Zeit über, nur ein paar Häuser weiter, dass er hier – leben würde, so wie sie.

Stella setzt sich mit dem Brief auf die Bank neben der Haustür. Vierzehn Grad Celsius auf dem Außenthermometer, und das Olivenbäumchen müsste gegossen werden, es steht so unter der Dachtraufe, dass es selten Regen abbekommt. Übers Gras, an der Hecke entlang, hüpft eine glänzende Amsel. Stella schlägt die Beine übereinander, legt den Brief neben sich auf die Bank.

Dann macht sie ihn auf. Sie reißt ihn auf. Sie nimmt ihn in die Hand und reißt ihn auf. Das Gefühl, das sie vorgestern noch gehabt hat – ein leises Erstaunen, die Erinnerung daran, wie es einmal gewesen ist, verlockt zu werden –, ist vollständig weg.

Am Abend darauf ist Jason zurück. Er bringt Ava ins Bett, während Stella die Küche aufräumt, sie kann Ava oben springen hören, Jason ist eine Woche lang weg gewesen, Ava ist außer sich.

Schön, wenn Jason wiederkommt. In gewisser Weise auch schön, wenn er wieder wegfährt.

Jason baut Häuser. Restaurants, Hotels, Werkstätten, Wohnhäuser, Pavillons, Fabrikhallen, Bungalows. Manchmal denkt Stella, dass er vielleicht eigentlich etwas anderes machen wollte. Sie könnte nicht sagen, warum sie das denkt, sie spürt eine gewisse Enttäuschung in Jasons Umgang mit seiner Arbeit, seinem widerstrebenden Sprechen darüber, sie ist froh, dass sie diese Enttäuschung nicht jeden Tag erahnen muss. Sie selber ist nicht enttäuscht von seiner Arbeit. Er hat diese Arbeit schon gemacht, als sie im startenden Flugzeug ihre Hand in seine Hand gelegt hat, der Dreck auf seiner Hand kam nicht von der Bildhauerei, sondern vom Fliesenlegen, und Stella behauptet, sie habe das gewusst. Manchmal malt Jason eine Katze für Ava, ein Häuschen mit rauchendem Schornstein, eine große Biene dazu, manchmal zeichnet er Ava, am Küchentisch am frühen Morgen mit geflochtenen Zöpfen vor einer Schale Porridge sitzend, Zeichnungen, die Ava in Furcht und Entzücken versetzen; aber hinter der Art, in der Jason Ava die Zeichnung dann wegnimmt, verbirgt sich etwas. Wahrscheinlich, denkt Stella, hat Jason das Gefühl, er hätte was versäumt. Er versteckt die Zeichnungen im Altpapier, und sie holt sie aus dem Altpapier wieder raus und hebt sie für Ava auf. Jason verdient genügend Geld mit seiner Arbeit, Geld für dieses Haus, für Stella und Ava, und die Arbeit lenkt ihn ab und macht ihn müde, ohne diese Arbeit ginge es ihm schlechter. Jason ist nur ruhig, wenn er müde ist, damals, im Flugzeug, war er das. So müde, dass er einschlief, bevor das Flugzeug durch die Wolken durch war, möglicherweise hätte er sich sonst gar nicht auf Stella einlassen können. Wäre das alles hier gar nicht zustande gekommen. Nichts von alledem, nicht mal das Glas Wasser auf dem Tisch und erst recht nicht Avas Stimmchen oben im Haus.

Habe ich im Flugzeug im Schlaf deine Hand losgelassen?

Nein, du hast meine Hand nicht losgelassen. Ich habe gespürt, dass du schläfst, du hast im Schlaf gezuckt, du hast geträumt. Ich habe gemerkt, dass du träumst.

Sie fragen sich das immer wieder. Gleiche Frage, gleiche Antwort. Wie um den Anfang festzuhalten, immer wieder zu bestätigen.

Stella legt Jasons Sachen in die Waschmaschine, seine schwarzen Arbeitshosen, den blauen Overall, die grünen Hemden. Münzen in den Hosentaschen, ein Bleistift, ein Stein. Jason hat Ava ein Stück Holz mitgebracht, in das ein Kienapfel eingewachsen ist, er hat ihr ein Heft voller glitzernder Abziehbilder mitgebracht. Das Stück Holz und das Heft liegen auf dem Küchentisch wie Beweise für seine Rückkehr. Stella zieht ihre Jacke an, klappt auf der Terrasse den zweiten Stuhl auf und schaltet das Licht im Wintergarten aus. Die Hornissen sind in diesem Jahr nur von einer Ecke des Schuppens in die andere gezogen, wenn das Licht im Wintergarten eingeschaltet ist, verlassen sie das Nest, fliegen in der Dunkelheit über die Wiese, stoßen gegen die Scheiben, bleiben betäubt auf dem Fensterbrett liegen. Jason kommt mit zwei Flaschen Bier auf die Terrasse, er bleibt kurz stehen und sieht sich um, als wollte er sich vergewissern, wo er eigentlich sei. Dann setzt er sich neben Stella.

Du siehst müde aus. Ava sagt, du sollst noch mal hochkommen. Gute Nacht sagen und ihr was zu trinken mitbringen.

Gleich, sagt Stella.

Sie sitzen nebeneinander und sehen über den Garten, die wilde Wiese hinweg, die Feldlerchen stürzen schräg ins Gras, und der Himmel ist fliederfarben und nächtlich. Jason streckt sich durch und atmet aus. Er macht beide Biere mit dem Feuerzeug auf und sagt, Jesus. Ich hab vier Tage, vielleicht fünf, dann muss ich wieder los. Irgendwas mache ich falsch, und irgendwann machen wir was anders, Stella, wir können hier so nicht ewig sein.

Wenn Ava in die Schule muss, sagt Stella. Sie sagt, spätestens dann, anderthalb Jahre noch.

Jason sagt, anderthalb Jahre. Weißt du, wie lange das ist? Ihr müsst mich nächstes Wochenende auf der Baustelle besuchen, ihr müsst euch das vornehmen, und du musst es in euren Wochenplan schreiben, bevor jemand anders sich da freinehmen will. Das zweite Stockwerk ist fertig. Das Dach noch nicht, die Treppe ragt einfach in den Himmel rein. Sie haben sich jetzt für das Material entschieden, sie wollen Türen aus verrostetem Blech. Was sagst du dazu. Blech aus Scheunentoren, sie wollen die Spuren von anderer Leute Arbeit sehen, wenn sie sich abends vor den Kamin setzen.

Stella würde gerne bei dem Bild vom Blech aus Scheunentoren bleiben, es ist ein Bild, mit dem sie sich eine Weile beschäftigen könnte, aber sie hält es nicht aus. Sie holt Mister Pfisters Brief aus der Jackentasche, sie möchte das hinter sich bringen. Sie muss das hinter sich bringen. Sie hat darüber nachgedacht, Jason Mister Pfisters Brief zu verschweigen, sie hat ziemlich angestrengt darüber nachgedacht. Aber sie weiß, dass es besser ist, Jason zu sagen, wie die Dinge stehen, als ihn von alleine darauf kommen zu lassen. Wenn Jason alleine darauf kommt, könnte das zu Missverständnissen führen. Zu Streit.

Und Mister Pfister ist eine unberechenbare Größe. Schwer zu sagen, was als Nächstes geschieht.

Jason nimmt den Brief entgegen, schon das ist eine Erleichterung. Er sieht Stella an, nimmt ihr den Umschlag aus der Hand, holt den Brief raus, faltet ihn ungeübt auseinander und liest.

Ich wünsche mir, dass du mich ansiehst.
Dass du mich ansiehst und mir zuhörst. Ich wünsche
mir auch, dass wir uns schon immer hätten kennen

können, du wirst älter, wir haben nicht mehr viel
Zeit. Du wirst lächeln, wenn du mich ansiehst, es
kann gar nicht anders sein. Ich werde dir zeigen, was
ich sehe: die Drossel, ihr getupftes Gefieder, den Park,
die Seiten des Buches, in dem ich lese

Grundgütiger, sagt Jason. Was ist das. Er liest den Brief zu Ende, faltet ihn zusammen, steckt ihn wieder in den Umschlag, er sieht sich den Umschlag an, beide Seiten, er legt den Umschlag vor sich auf den Tisch, dann lehnt er sich zurück. Der Ausdruck seines Gesichtes ist wirklich nicht zu deuten. Er sagt, o. k. Und was soll das?

Stella sagt, ich habe keine Ahnung. Sie nimmt an, dass ihre Stimme falsch klingt, obwohl sie versucht, die Wahrheit zu sagen. Sie sagt, ich hab keine Ahnung, ich kenne ihn nicht. Ich habe ihn nie zuvor gesehen, er stand am Mittwoch das erste Mal vor der Tür und wollte – mit mir sprechen.

Er wollte was, sagt Jason, jetzt sieht er Stella an.

Mit mir sprechen, sagt Stella gereizt. Ich kann dir nur wiederholen, was er gesagt hat. Er hat gesagt, er würde gerne mit mir sprechen, und ich habe gesagt, ich hätte keine Zeit für ein Gespräch.

Er stand vor der Haustür, sagt Jason. Er sagt, oder was.

Er stellt die Flasche Bier auf den Tisch, ohne hinzu-

sehen, und Stella begreift, dass er sich nicht dazu ent-
schließen kann, den Blick von ihrem Gesicht abzuwenden, dass er ihr nicht traut. Jason denkt, sie würde
ihr wahres Gesicht erst in dem Moment zeigen, in
dem sein Blick sie loslässt. Sie empfindet etwas Elektrisches zwischen sich und ihm, erstaunlicherweise
etwas von früher, aus den ersten Monaten – Angst
und Unsicherheit, den Zweifel am Gefühl des anderen, am eigenen Gefühl. Jason sieht sie an, als würde
er sie möglicherweise gar nicht kennen, als würde er
genau jetzt feststellen, nach fünf Jahren und sieben
Monaten, dass Stella nicht die ist, für die er sie gehalten hat. Sieht so aus, als wollte er aufstehen und
gehen, und Stella fällt plötzlich ein Abend vor fünf
Jahren wieder ein, ein Abend, an dem Jason im Flur
der Wohnung, in der sie damals lebte, den Kopf gegen
die Wohnungstür geschlagen hatte, betrunken und
immer wieder, weil er gehen wollte und nicht gehen
konnte. Die Erinnerung daran ist jäh, und sie ist be-
stürzend, und Stella beugt sich vor und nimmt Jasons
Hand.

Sie sagt, nein, er stand nicht vor der Haustür. Er
stand vorm Gartentor, und ich habe durch die Anlage
mit ihm gesprochen. Sie sagt, er kam Donnerstag wieder, und er kam gestern wieder. Gestern hat er diesen
Brief eingeworfen, und heute zeige ich ihn dir.

Jason sagt, und du hast keine Ahnung. Du hast

keine Ahnung, aber du bist dir sicher, dass du ihn nicht kennst. Ihn nie zuvor gesehen hast.

Ich bin mir sicher, dass ich ihn nicht kenne, sagt Stella. Ich hab ihn nie zuvor gesehen.

Jason zieht seine Hand aus ihrer Hand. Er sagt, Scheiße.

So kann man es sagen, sagt Stella.

Später wacht sie von der Dämmerung auf. Es ist fünf Uhr am Morgen, Jason neben ihr schläft, auf dem Rücken liegend, die Arme ausgestreckt, entspannt. Sie wacht auf, weil es ungewohnt ist, dass er da ist, neben ihr liegt und im Schlaf nach ihr greift. Sie liegt wach neben Jason und denkt, dass Mister Pfisters Sätze, seine Worte, die für sie eigentlich gar nicht zusammengehören – jedes Wort steht einzeln, für sich, ist ein Fremdwort und klanglos –, auf eine gespenstische Weise für sie und Jason gelten. Sie wünscht sich, dass Jason sie ansieht. Sie wünscht sich, dass er ihr zuhört. Sie will ihm zeigen, was sie sieht. Sie wünscht sich, dass sie Jason schon immer hätte kennen können, obwohl sie weiß, dass sie, hätte sie Jason schon immer gekannt, heute auf keinen Fall mehr mit ihm zusammen wäre. Sie ist älter geworden. Jason ist älter geworden. Ava wird groß.

Stella geht leise rüber in Avas Zimmer, sie dreht Avas schlafwarme Decke um. Sie geht in ihr Zimmer und steht eine Weile am Fenster; als Ava ein Baby war, hat sie auch an diesem Fenster gestanden, abends, mit Ava auf dem Arm, und nachts, nach dem Stillen, hat sie allein hier gestanden. Über dem Haus auf der anderen Straßenseite sinkt der zunehmende Mond. Noch keine Vogelstimme. Stella kann Ava und Jason atmen hören.

5

Jason bleibt vier Tage lang. Er bringt Ava in den Kindergarten und holt Ava vom Kindergarten ab.

Jason ist da, oder, sagt Paloma, als Stella ins Büro kommt. Sie sagt es sachlich, freundlich, nicht unbedingt, um Stella in Verlegenheit zu bringen.

Ja, Jason ist da, sagt Stella. Er ist, wie nennt man das, onshore?, und Paloma lächelt darüber und schweigt vorsichtig.

Die Tage sind unverhofft warm, und Hecken und Bäume blühen plötzlich und weiß auf, eilig, wie verspätet. Stella fährt nach der Arbeit mit dem Fahrrad zurück nach Hause, sieht Jasons Auto in der Auffahrt stehen und fährt am Haus vorbei und weiter, am Wald entlang, bis nur noch Felder zu beiden Seiten des Weges liegen. In den Gräben ducken sich die

Hasen und halten so still, dass Stella ihnen in die blanken Augen sehen kann. Sie fährt bis zu einer unsichtbaren Grenze geradeaus, sie könnte nicht sagen, warum sie umdreht und zurückfährt, aber irgendwann dreht sie um. Sie denkt, morgen fahre ich weiter, aber sie fährt nicht weiter. Sie geht am zweiten Nachmittag ins Kino und sieht sich einen Film an, der in San Francisco spielt, amerikanische Lichtverhältnisse, Frauen mittleren Alters, die sich nach dem Laufen an Parkbänken abstützen und die Turnschuhe fester schnüren, ihre möglicherweise tatsächlich ungeschminkten Gesichter mit einem Ausdruck in die Kamera halten, der Stella fügsam und idiotisch erscheint, ein starrsinniges Vertrauen auf bessere, kommende Zeiten. Stella ist früher gerne am Nachmittag alleine ins Kino gegangen, aber seitdem Ava da ist, ist die Dunkelheit des Kinosaals um sie herum nicht mehr vollständig, kommt sie der Wirklichkeit nicht mehr abhanden. Sie sieht das Exit-Schild in der linken Ecke des Saales den ganzen Film über leuchten, und sie muss auf die Toilette, sie kann an nichts anderes denken. Als sie aus dem Kino kommt, ist der Tag draußen immer noch hell. Sie schiebt das Rad die Fußgängerzone entlang, sie ist hungrig, sie denkt vage darüber nach, dass sie nicht mehr in der Krankenpflege arbeiten, eine Reise machen, sich die Haare abschneiden lassen möchte, sie denkt an

gar nichts, während sie das Rad durch die Fußgängerzone nach Hause schiebt.

Abends kommt Paloma vorbei. Sie bringt Tulpen und
Ranunkeln mit, eine Flasche Wein und ein Spiel, in
dem Ava mit einem Magneten an einer Angel kleine
Pappfische aus einem goldenen Karton herausholen
darf. Sie bringt Filme mit, Geleebananen und Zuckerwatte in einer Plastikbox. Auf Wiedersehen. Ava vergisst Stella, und sie vergisst Jason. Sie winkt vom Küchentisch aus, lässig und ohne hochzusehen; es ist der
goldene Karton und die Zuckerwatte, aber es ist auch
Palomas Art, mit Ava zu sprechen, sie lange anzusehen, nachdenklich und direkt. Seid vernünftig, sagt
Paloma zu Stella und Jason. Sie steht an der offenen
Tür, die Arme vor der Brust verschränkt, dann verschwindet sie im Haus.

Rechts oder links, sagt Jason. Stella weiß, dass Jason
sich das selber fragt und ohnehin in die ihrem Wunsch
genau entgegengesetzte Richtung fahren würde. Au-
tomatisch. Ein Reflex, sie könnte darüber nachdenken,
was dieser Reflex eigentlich zu bedeuten hat, aber sie
hat das Gefühl, sie käme zu keinem Schluss. Sie denkt,
rechts, und sie fahren mit dem Auto am dunklen Wald
entlang, auf die Hauptstraße zu, lass uns links am Seeufer lang fahren, sagt Jason, mal sehen, was kommt.

Über den Ziegeldächern der neuen Siedlung stehen eindrucksvolle Regenwolken. Der Verkehr ist träge, fast beiläufig, kannst du das Radio ausmachen, sagt Stella, kurbelt die Scheibe runter und hält die Hand aus dem Fenster. Sie fahren aus der Stadt raus, am Seeufer lang, über die Brücke auf die andere Seite und die Berge hinauf. Jason parkt an der Aussichtsplattform, und sie steigen aus und gehen talabwärts, teilen sich ein Bier auf einer Bank mit Blick aufs Wasser, wir sitzen nebeneinander wie im Flugzeug, denkt Stella, und sie wundert sich über die Stille zwischen ihnen, die scheinbar geschlossen ist und selbstverständlich, Jason jedenfalls ist ein schweigsamer Mensch. Vielleicht ist die Stille aber auch abgründig, abwartend, vielleicht ist Jason vorsichtig. Ist Stella vorsichtig?

Über den Bäumen auf der anderen Seite des Sees steigen spät Raketen auf. Funkenfontänen in einem kühlen Blau und Silber schießen hoch und fallen auseinander, gehen wie Blumen oder Sterne auf. Die Explosionen sind schwach zu hören, und es beginnt zu regnen. Sie bleiben sitzen, bis der Regen durch die dichten Blätter der Maibäume fällt, dann steht Jason auf und zieht Stella von der Bank hoch. Sie laufen zum Auto zurück, Stellas Gesicht ist nass, und sie ist plötzlich wach, übermütig und glücklich, sie dreht sich zu Jason um und hält ihn fest, obwohl sie weiß, dass ihn das misstrauisch machen wird.

Steig ein, sagt Jason. Nicht abwehrend, eher verlegen. Steig ein, lass uns noch ein Stück fahren, und Stella zieht die Autotür mit Bedauern zu.

Sie denkt, aber so ist das eben. Macht nichts, es macht nichts. So ist das dann.

Wie geht es Esther, sagt Jason. Was macht Walter, was sagt Dermot, er startet den Motor, wendet und rollt zurück auf die Straße. Jason kann am besten fragen und sprechen, wenn er Auto fährt. Ein Gespräch mit ihm an einem Tisch, einander gegenübersitzend, womöglich essend, trinkend, ist fast unmöglich. Beim Autofahren kann er auf die Straße sehen, er hat zu tun, es ist dann einfacher für ihn, die Straße ist der rote Faden durch das unwägbare, anscheinend verminte Gebiet eines Gespräches. Stella denkt, dass sie das weiß, und es macht sie unachtsam und gelassen zugleich. Sie sieht aus dem Fenster, dreht sich nach dem See um, die Wasserfläche ist unruhig und metallen, über den Bäumen geht eine letzte Rakete hoch.

Sie sagt, ich muss aufhören, Jason. Ich muss aufhören, für Paloma zu arbeiten, ich muss mich von Esther und Walter und Dermot trennen, sie sagt, danke, dass du fragst, was Dermot sagt, Julia sagt nämlich gar nichts mehr. Julia sitzt auf dem Stuhl am Fenster und dreht die Daumen ineinander, den ganzen Tag.

Jason sagt nichts, und Stella schweigt ein wenig und sagt dann, ich möchte vielleicht gerne im Center an der Kasse sitzen. Ich möchte Kaffee und Croissants verkaufen in diesem kleinen Stand da in der Mitte der Halle. Ich möchte eine Saison lang Erdbeeren pflücken. Eine Ausbildung zur Floristin machen. In der Buchhandlung aushelfen. Im Büro rumsitzen, so wie Paloma. Ich möchte vielleicht Paloma sein?

Stella fällt ein, dass es riskant sein könnte, mit Jason über Ideen von einem anderen Leben zu sprechen, einem anderen Beruf. Was soll er dazu sagen? Aber er lacht jetzt, leise, und sagt, dann mach das doch einfach. Nicht Paloma sein, aber alles andere – warum machst du's nicht einfach.

Weil es nicht einfach ist, sagt Stella. Für mich jedenfalls ist es nicht einfach. Nichts kommt mir einfach vor auf dieser Welt, außer vielleicht, für Ava das Abendbrot zuzubereiten oder die Betten neu zu beziehen oder das Geschirr ordentlich abzuwaschen.

Jason nickt. Er schaltet den Scheibenwischer ein, die Straße ist ein grünes, dunkles Band, das vor ihnen aufgerollt wird, seidig, weit. Der Regen verwischt den Buchenwald, die Bäume scheinen ineinanderzufallen. Im Auto ist es warm. Jason nimmt die rechte Hand vom Steuer und reibt sich über den Kopf, er legt die Hand zurück aufs Lenkrad, er lässt sie zurück aufs Lenkrad fallen und sagt, ich bin da übrigens vorbeigegangen.

Wo bist du vorbeigegangen, sagt Stella, ihr Magen

zieht sich zusammen, ihr Herz pocht sofort schneller, als hätte es auf diesen Satz gewartet, als wäre der Satz ein hässliches Stichwort.

Mister Pfister, sagt Jason. Er spricht den Namen komisch aus, etwas zwischen feindselig und angeekelt. Ich bin an Mister Pfisters Haus vorbeigegangen, ich habe mir das angesehen.

Und, sagt Stella.

Warst du schon da, sagt Jason.

Nein, sagt Stella wahrheitsgemäß, nein, war ich nicht.

Sie hat darüber nachgedacht, an Mister Pfisters Haus vorüberzugehen. Nicht in den Tagen mit Jason, aber an dem Tag, bevor Jason zurückkam, am Freitag. Sie hat drüber nachgedacht, und sie ist nicht daran vorbeigegangen, sie hat es sich doch nicht ansehen wollen. Was denn auch eigentlich ansehen, wozu auch.

Sie sagt entschlossen, ich will es nicht sehen. Ich geh die Straße nie in diese Richtung runter, und ich werd's auch jetzt nicht tun.

Ja, sagt Jason, aber er sagt es so, als ginge es nicht um Stella, sondern um ihn und somit um etwas ganz anderes. Weiß ich. Aber ich bin runtergegangen und hab's mir angesehen, es ist ein stinknormales Haus, genau dasselbe wie unsers. Es sieht nicht unbewohnt aus und auch nicht bewohnt. Er scheint da jedenfalls alleine drin zu wohnen, es steht nur sein Name an der

Tür, und ich habe ihn nicht angetroffen. Falls du das fragen willst.

Das hätte ich fragen wollen, sagt Stella. Natürlich hätte ich dich das fragen wollen. Ich hätte dich gefragt, ob du ihn gesehen hast.

Nein, ich hab ihn nicht gesehen, sagt Jason. Er wirft Blicke in den Rückspiegel, als nähere sich etwas mit großer Geschwindigkeit, aber die Straße hinter ihnen ist leer.

Er sagt, er war nicht da, glaube ich. Aus irgendeinem Grund glaube ich, dass er nicht zu Hause war.

Bist du dran vorbeigegangen oder davor stehen geblieben.

Ich bin davor stehen geblieben.

Wie lange denn, sagt Stella, sie muss unwillkürlich lächeln.

Lange genug, sagt Jason. Lange genug jedenfalls.

Zu Hause sitzt Paloma in Stellas Sessel am Fenster und schaut in den Fernseher. Sie hat die Füße auf den Sessel hochgezogen, sie blickt nicht raus, als das Auto vorfährt. Jason steigt aus und schließt das Tor auf. Stella bleibt im Auto sitzen, sie sieht Paloma durch die Windschutzscheibe und vom Panoramafenster eingerahmt wie ein Bild – Palomas verlässliche Gestalt im flackernden Schein des Fernsehers, sie sieht zu, wie Paloma einen großen sachlichen Schluck aus ihrem

64

Wasserglas nimmt und das Wasserglas zurück auf den Tisch stellt, ohne den Blick von dem Geschehen im Fernseher abzuwenden. Einen Moment hat Stella eine heftige und einfache Sehnsucht nach Clara. Was täte Clara? Sie säße in der Küche und würde sehr sicher etwas essen, ein Schinkenbrot mit Senf und Gurken wahrscheinlich, der Sender im Radio wäre von Klassik auf Popmusik verstellt, sie hätte Kerzen angezündet, sie wäre vermutlich betrunken, und Ava wäre noch wach. Trotzdem ist es ein Geschenk für Stella, dass Paloma im Sessel am Fenster sitzt. Stellas Platz eingenommen hat, für eine kurze, vielleicht wichtige Weile.

Geschenke dieser Art, denkt Stella, sind neu in meinem Leben. Gab's bisher noch nicht. Oder ich hab sie nicht erkannt?

Am Tag danach bringt Jason Ava in den Kindergarten, kommt zurück, packt seinen Koffer selber und fährt los. Er steht neben Stella im Garten und sieht zu, wie sie, die Hände in gelben Plastikhandschuhen, das Windgras aus dem Rosenbeet reißt, den Löwenzahn an den Wurzeln ausreißt, die Brennnesseln, den wilden Hafer. Das Sonnenlicht ist unfassbar hell. Stella sieht ihren Schatten, Jasons Schatten, den Abstand zwischen ihnen.

Sie sagt, hat Ava geweint. Sie kann Jason nicht ansehen.

Nein, sagt Jason, sie hat nicht geweint. Ich schätze, sie wird heute Abend weinen. Ruft ihr mich an.

Wir rufen dich an, sagt Stella. Sie richtet sich doch auf, und sie umarmt Jason heftig, unmäßig, dann lässt sie ihn los.

Was machst du mit Mis-ter-pfis-ter, sagt Jason. Er steht da, als hätte sie ihn nicht umarmt.

Was soll ich mit ihm machen. Stella muss die Augen gegen die Sonne zusammenkneifen, sie kann Jasons Gesicht nicht richtig erkennen.

Willst du meinen Rat hören, sagt Jason, er wartet die Antwort nicht ab. Du solltest dich raushalten. Du solltest darauf nicht reagieren. Ich hab drüber gelesen, Reaktion bedeutet Kontakt, darum geht es, das ist das, was diese Leute wollen. Es ist krank.

Ich halte mich raus, sagt Stella. Ich halte mich da sowieso raus. Wo hast du das gelesen.

Im Netz, sagt Jason. Im gottverdammten, elenden Netz, wo sonst.

Stella steht an der Straßenecke am Waldweg und winkt, bis Jason im Auto auf die Hauptstraße abgebogen ist. Sie fühlt sich Tränen nahe, von denen sie nicht weiß, woher sie eigentlich kommen, sie fragt sich erst später, wie sie sich aus was raushalten soll, das sie selber gar nicht veranlasst hat, wie soll sie was steuern, das jemand anders steuert. Auf dem Tisch in der Küche liegen Jasons Zigaretten neben seinem Becher Kaffee. Er hat seine Jacke vergessen. Er hat das Bett gemacht, das Schlafzimmerfenster offen stehen lassen. Er hat in der Zeitung einen Bericht über ein Flüchtlingslager gelesen, er hat vielleicht den Satz *der Raum verändert sich, das Verhältnis zu Orten und Räumen verändert sich in Zeiten des Krieges* gelesen, bevor er vom Küchentisch aufgestanden ist, um zur Arbeit zu fahren, um wegzufahren.

6

Ava weint gar nicht. Aber sie besteht darauf, dass Stella ihr am Abend eine Geschichte erzählt. Stella soll was erzählen, Ava duldet keinen Widerspruch. Für Stella ist das Erzählen einer solchen Geschichte wie ein freier Fall. Die Gestalten, die Ava sich wünscht, taumeln in Stellas Kopf herum, sind nur mit Mühe festzuhalten, steigen hoch und ziehen weg wie mit Helium gefüllte Ballons.

Kann ich dir nicht ein Märchen erzählen, sagt Stella schwach.

Nein, sagt Ava fest und unerbittlich. Du sollst mir die Geschichte von der kleinen Giraffe und vom Prinzen erzählen.

Stella versucht das. Sie versucht es, aus Furcht vor dem Gedanken, sie könnte, Jahre später, bereuen, Ava nicht die Geschichte von der kleinen Giraffe und dem Prinzen erzählt zu haben. (Damals. An einem Abend im Mai. Du warst vier Jahre alt, und Jason war nicht da. In diesem Haus am Stadtrand, in dem wir mal gelebt haben, du kannst dich noch ein bisschen dran erinnern, glaube ich. Du hattest ein Zimmer unterm Dach, dein Nachtlicht war ein Globus, du wolltest immer den Atlantischen Ozean sehen. Vor dem Fenster war der Garten und eine wilde Wiese, wir haben einmal einen Bussard beobachtet, der Bussard hat eine Feldmaus gefangen und fortgeschleppt, du hast so geweint, weißt du das noch? Damals. Als ich mich geweigert habe, dir eine einfache Geschichte zu erzählen.)

Diese Reue begleitet Stella immer. Sie ist wie ein Defekt, wie ein winziger, aber wesentlicher Fehler im System. Manchmal denkt Stella, dass Jason diese Reue auch empfindet, aber er hat sie ganz und gar an Stella abgegeben, sie hat seine Reue übernommen, sie trägt sie mit. Warum denkt sie das? Die Reue macht die Dinge schwer, gleichzeitig einzigartig.

Die kleine Giraffe kann nicht einschlafen. Liegt neben dem kleinen Prinzen und versucht, die Augen zuzumachen.

Versucht verzweifelt, die Augen zuzumachen, sagt Ava.

Versucht verzweifelt, die Augen zuzumachen. Der kleine Prinz legt seine Arme um den Hals der kleinen Giraffe und drückt sein Gesicht in ihr Fell. Das Fell von der kleinen Giraffe ist warm. Der Mond scheint durchs Fenster. Die kleine Giraffe sagt, ich hab Hunger. Ich möchte ein Glas Milch. Der kleine Prinz steht auf. Die Flure im Schloss sind dunkel und sehr kalt. In der Küche sitzt die dicke Köchin am warmen Herd vor einem Kreuzworträtsel. Sie sagt, gut, dass ihr kommt. Ihr wisst sicher, was vom Himmel fällt und fünf Buchstaben hat. Und ihr möchtet sicher ein Glas heiße Milch?

Ava liegt in Stellas Arm, ihr Kopf auf Stellas Bauch. Ihre schwarzen Haare sind weich, ihr ganzer Körper ist weich. Sie dreht an den Knöpfen von Stellas Strickjacke, sie seufzt. Sie liebt einfache Sätze, Stella weiß, dass Ava am zufriedensten ist mit einer Geschichte, in der eigentlich nichts passiert. Eine Geschichte ohne Pointe, vielleicht auch ohne Aufregung, eine Geschichte, die vom Gleichmaß aller Tage erzählt, davon, dass alles bleibt, wie es ist.

Was fällt vom Himmel und hat fünf Buchstaben?

Regen. Regen fällt vom Himmel und hat fünf Buchstaben.

Schnee fällt auch vom Himmel. Kann ich morgen meine roten Gummistiefel anziehen? Auf jeden Fall? Auch wenn es nicht regnet?

Du kannst morgen deine roten Gummistiefel anziehen, auf jeden Fall, auch wenn es nicht regnet.

Wir wollten Papa anrufen.

Machen wir morgen. Schlaf schön, Ava. Schlaf schnell ein.

Stella lässt die Tür angelehnt und das Licht im Flur vor den drei Zimmern brennen. Sie steht im Wohnzimmer neben dem Sessel am Fenster, sie knipst die Stehlampe an und sieht ihr Spiegelbild in der Panoramafensterscheibe, hinter ihrem Spiegelbild den nächtlichen Garten, den Zaun, die Straßenlaterne und die Straße, die Bilder schieben sich ineinander, je nachdem, wie sie schaut. Stella knipst die Lampe wieder aus. Sie setzt sich in der Küche an den Tisch und schreibt eine Liste der Dinge, an die sie denken will – *Glühbirnen, bunte Pappe für Ava, Medikamentenvergabe Walter nachfragen, Brief an Clara, Wochenende Schichtplan, Äpfel und Birnen* –, sie hat das Gefühl, sie müsste noch etwas aufschreiben, es gäbe etwas, das sie vergessen hat, ihr fällt nicht ein, was das gewesen sein könnte, und sie gibt es schließlich auf. Das Radio spielt Klassik, leise, höflich zurückgenommene Ketten von Tönen. Stella sitzt am Tisch mit dem Stift in der Hand, sie denkt, dass dieses Dasitzen, Nichtstun am Ende eines Tages eine Alterserscheinung sein muss. Wie ist sie denn früher ins Bett gegangen? Vor Ava? In den Jahren mit Clara, in den Jahren vor den Entscheidungen für dieses oder jenes oder ein ganz anderes Leben. Stella kommt es vor, als wären sie sprechend ins

Bett gegangen. Sprechend eingeschlafen, sprechend wieder aufgestanden. Trinkend, rauchend ins Bett gegangen. Aufgebracht, mitgenommen von was eigentlich, betrunken oder erschüttert, in den Schlaf rein- und aus dem Schlaf rausgestürzt. Alles war wichtig. Alles war wichtig.

Die Stille am Küchentisch, die Bedeutung von Avas Schlaf, die Beschränkung der Begegnungen auf Jason, Paloma, Dermot, Walter und Esther ist auffällig. Verdächtig, als sollte sie etwas bedeuten.

Aber ich bin gern alleine, sagt Stella in die Küche hinein. Ich bin ja gern alleine. Früher war ich nicht gerne alleine, heute bin ich's eben.

Sie sagt, Mister Pfister ist vermutlich auch gerne alleine.

Mis-ter Pfis-ter.

Was macht Jason jetzt, alleine auf der Baustelle, in dem Haus ohne Dach mit den Türen aus Wellblech und den Böden aus Alaskazedernholz. Was macht Jason? Mit wem möchte eigentlich Jason sprechen?

Stella steht vom Tisch auf, lässt Wasser in den Kessel laufen, stellt den Kessel auf den Herd und bleibt am Herd stehen, bis das Wasser kocht. Sie hört dem Rauschen der Gasflamme, der Stimme aus dem Radio, dem zögernden Sprudeln des Wassers zu. Sie steht in der Küche, sie wartet.

7

Regen.

Ava zieht die Gummistiefel an, die Regenjacke, sie setzt den Regenhut auf und sieht sich, als sie damit fertig ist, lange und ernst im Spiegel an.

Stella zieht das Regencape über.

Sie nimmt dem Zeitungsboten am Gartentor die Zeitung ab, bevor er sie in den Briefkasten werfen kann. Sie bringt Ava mit dem Fahrrad in den Kindergarten, holt Walters Schlüssel aus dem Büro, kommt zu spät, um mit Paloma einen Kaffee trinken zu können, wahrscheinlich kommt sie absichtlich zu spät. In Walters Haus steht die Tür zur Veranda sperrangelweit offen, und die Feuchtigkeit hängt wie Gischt im Zimmer, wie ein Nebel. Walters Kanarienvögel haben sich auf der Stange im Käfig aneinandergedrängt, Walter liegt im Bett auf der Seite und gibt vor, zu schlafen, als hätte er sich mit Esther abgesprochen. Stella berührt ihn sachte an der Schulter. Möchtest du aufstehen, Walter? Walter möchte nicht aufstehen. Stella weiß, dass sie ihn zum Aufstehen zwingen sollte, aber sie fühlt sich selber viel zu schwach. Walter ist Mitte fünfzig, er hat Multiple Sklerose, er war Architekt, unverheiratet, kinderlos, er erwähnt gerne, dass er ein attraktiver Mann gewesen ist, bevor die Krankheit ihn ins Bett gezwungen hat. Stella kennt ihn nicht als attraktiven Mann. Sie kennt ihn als ihren Patienten, hilfebedürftig, von ihr abhängig, krank. Sie kennt seine Spucke, seine Verdauung, den Geruch seines Urins. Im Zimmer stehen Modelle seiner Arbeit, Brücken und Hallen, Walter hat vor allem Brücken und Hallen gebaut. Stella kann sich seine Attraktivität nicht vorstellen, aber sie ist berührt von der Feinheit und Exaktheit der Modelle, von der Genauigkeit und Konzentration, zu der Walter offenbar irgendwann einmal in der Lage gewesen ist. Wenn er heute trinken möchte, muss sie ihm den Strohhalm zum Mund führen, im Mund festhalten. An der Wand um Walters Bett herum hängen Seiten einer Zeitungsserie, in der Menschen über ihre Träume sprechen, sich dafür mit geschlossenen Augen fotografieren lassen. Walter ist versessen auf diese Serie, versessen auf die Fotos der Frauen, weniger auf die Beschreibungen ihrer Träume, mehr auf ihre Gesichter, auf ihre wie schlafenden Gesichter. Er gibt vor, immer wieder Stellas Namen zu vergessen und sich nicht mehr an seine Mutter erinnern zu können, aber er weiß genau, wann Mittwoch ist, wann die Zeitungsserie erscheint. Heute ist Mittwoch. Stella schlägt in Walters Küche die Zeitung auf. Ein zwanzigjähriges blondes Mädchen, ein abweisendes, schmales Gesicht und ein Traum, den zu lesen Stella keine Lust hat. Wird Walter sich dieses Mädchen über sein Bett hängen wollen? Stella vermutet das. Sie ist nicht sicher, was genau Walter an diesen Frauengesichtern wichtig ist – die geschlossenen Augen? Sie sollen bei ihm sein, aber sie sollen ihn in seiner Hilflosigkeit nicht ansehen? Der Wunsch, in jemandes Gesicht zu sehen, wenn man aufwacht. Der Wunsch, beim Aufwachen in das schlafende Gesicht des geliebten Menschen zu sehen. Stella hat das Gefühl, sie würde verrückt werden, wenn sie zu lange über Walter nachdenkt. Es gibt Pfleger, die Walters Galerie für psychopathisch halten, Stella äußert sich nicht dazu. Sie putzt das Bad, die Küche, den Kühlschrank und die Küchenschränke. Sie macht den Vogelkäfig sauber, gießt neues Wasser in die Schälchen, hängt einen frischen Zweig Weißdorn an die Gitterstäbe, die Vögel sitzen eng beisammen und beobachten Stella stumm und vorwurfsvoll aus schwarzen Augen. Sie hakt das Käfigtürchen sorgfältig zu und geht einkaufen. Sie telefoniert mit Paloma und notiert Walters Arzttermine für die kommende Woche, sie mischt Quark, Pflaumen und Leinsamen, sie sitzt an Walters Bett, er möchte sich nicht einmal zu ihr umdrehen, aber er sagt, er würde sich freuen, sie gingen zusammen bald wieder in ein Konzert. Manchmal macht Stella das, sie geht mit Walter raus, ins Kino, ins Konzert, ins Theater, und sie halten es beide ungefähr eine halbe, eine Dreiviertelstunde aus, dann sagt Walter, er wolle nach Hause, er sagt es nicht nur einmal, er sagt es hundertmal, so lange, bis sie mit dem Rollstuhl wieder in der Diele seines großen Hauses, in dem sein Leben sich jetzt auf ein Zimmer beschränkt, angelangt sind; jedes einzelne Mal spricht Stella aus dem Herzen. Sie geht trotzdem immer wieder mit Walter raus. Sie hat das Gefühl, der Widerstand, den sowohl er als auch sie überwinden müssen, mache sie beide stärker. Eine Weile lang, zumindest.

Sie sagt, ich gehe bald wieder mit Ihnen ins Konzert. Drehen Sie sich zu mir um. Essen Sie was.

Sie füttert Walter, und sie fragt sich, ob in der Weise, in der Walter ihr das Essen vom Löffel nimmt, etwas von der Weise verborgen ist, mit der er als Kind seiner Mutter das Essen vom Löffel genommen hat, sie erkennt in Avas Art zu essen, in ihrem winzigen, abschließenden Schlucken, noch immer das Baby, noch immer Avas babyhaftes Schnappen nach dem Löffel, nach süßem Brei. Walters steinalte Mutter könnte das sagen, sie würde ihr Baby in Walter erkennen, was für eine traurige Vorstellung.

Walter. Wollen Sie rausgehen?

Walter antwortet nicht, und Stella setzt sich über ihn und über sich selbst hinweg, sie holt ihn aus dem Bett. Zieht ihn an, hebt seine Arme und hängenden Beine, sie streift ihm dicke Socken über die eiskalten Füße und zieht ihm nutzlose Hausschuhe an, und dann bindet sie ihm einen Schal um und deckt das Regencape über seinen Rollstuhl und schiebt ihn auf die Veranda raus. Sie kocht Tee und setzt sich dazu. Sie sitzen nebeneinander und sehen in den Regen, sehen zu, wie der Regen das Tropenholz der Veranda dunkler und dunkler färbt.

Kalter Mai.

Walter nickt.

Stella faltet die Zeitung auseinander und hält sie ihm hin, zeigt ihm das blonde Mädchen, und er kneift skeptisch die Augen zusammen, dann winkt er ab. Irgendwas an dem blonden Mädchen ist zu wenig. Oder irgendwas ist zu viel. Wie soll sie Jason davon erzählen? Wie ist das teilbar, dieses und jenes, auch die Zärtlichkeit, zu der sie in der Lage ist, wenn sie Walter den Mund abwischt, mit einem Tuch den Mund abwischt, und wenn sie kein Tuch dabei hat, mit der Innenfläche ihrer Hand.

Leinsamen sind ausgegangen, schreibt Stella für den Abenddienst mit Kreide auf die Tafel an Walters Küchenschrank. *Nächste Woche muss mal das Eisfach abgetaut werden. Wasserlieferung ausgefallen? Schöne Grüße.*

Sie bringt Walter ins Bett zurück, legt die Kissenrolle unter seinen Kopf, deckt ihn zu und stopft die Decke ordentlich um seine Füße. Sie schließt die Verandatür und kippt sie an.

Haben die Vögel zu essen? Zu trinken? Walters Aussprache ist undeutlich, wie betrunken, als erzählte er einen Witz.

Selbstverständlich, sagt Stella. Ausreichend bis zum Ende des Jahres, Walter. Bis morgen. Machen Sie's gut.

Sie schließt die Haustür von außen ab. Fragt sich, ob er das hört. Und wie es für ihn klingen mag.

Draußen geht ein Wind durch die Straßen, der nach Meer riecht. Stella dreht sich um. Jede Menge Leute. Niemand, den sie erkennen, den sie kennen würde.

Sie holt Ava vom Kindergarten ab. Sie zieht Ava die Gummistiefel an, knöpft ihre Jacke zu, setzt ihr den Regenhut auf und bindet ihn unter Avas rundem Kinn vorsichtig zu.

Ich möchte Eis essen.

Ich möchte unbedingt eine Katze haben. Unbedingt.

Ich möchte Stevie besuchen. Ich möchte immer mit Stevie zusammen sein.

Ich habe ein Bild gemalt für Papa. Ich hab ein Haus ohne Dach gemalt, aber die anderen haben einfach ein Dach darübergemalt, sie haben das einfach drübergemalt.

Sie fahren durch den Regen nach Hause. Der Sand am Rand des Waldweges ist nass, die Bäume sind fast schwarz vor Nässe. Stella schiebt das Rad in den Garten, lässt das Tor hinter sich zufallen, hebt Ava aus dem Sitz und stellt sie ab. Ava bleibt so stehen, legt den Kopf in den Nacken, hält das Gesicht in den Regen.

Stella schließt den Briefkasten auf. Im Briefkasten liegt eine Karte. Die eine Seite der Karte ist weiß, auf der anderen steht nur ein Satz, die Schrift verwischt schnell –

das waren lange Tage

Komm, sagt Stella zu Ava. Wir gehen ins Haus.

8

Mittags ruft Clara an. Ihre Stimme am Telefon ist heiter und zerstreut, eindeutig vertraut, als könnte Stella sie anfassen, es ist eine ungeheure Erleichterung, Claras Stimme zu hören.

Stella, sagt Clara. Bevor wir über alles andere reden. Dein neuer Verehrer – was ist das denn für ein Typ? Kannst du mir sagen, was das für ein Typ ist?

Sie sagt es nebenher und abgelenkt. Sie sagt es, als würde sie Kaugummi kauen. Als könnte Stella in Erwägung ziehen, Mister Pfister kennenzulernen. Als sei das tatsächlich noch eine Möglichkeit – einer von vielen, und doch der Einzige, ganz so wie früher, könnte das nicht sein? Clara fragt das, als gäbe es Jason nicht. Als gäbe es Jason noch nicht oder nicht mehr.

Clara, sagt Stella streng. Er ist nicht mein Verehrer. Er ist jedenfalls kein Typ, der mir auf irgendeine abgefahrene Weise den Hof macht. Verstehst du, was ich sage?

Merkwürdigerweise weiß Stella das. Sie weiß, dass Mister Pfisters Neigung für sie nichts mit der Neigung derer zu tun hat, die ihr vor zehn Jahren Briefe und Karten in den Briefkasten geworfen, Zeichen in die Türschwelle geritzt, sich an Clara vorbei in den Flur gedrängt und an den Küchentisch gesetzt haben, eine Flasche Schnaps in der einen und in der anderen Hand eine selbstgedrehte Zigarette – ist Stella zu Hause, deine Mitbewohnerin, du weißt schon, diese Blasse, Blonde, nicht, na dann warte ich hier einfach mal auf sie, lass dich nicht stören, ich setz mich hier nur hin, sie kommt ja sicher bald wieder, oder. Vor zehn Jahren hat es anders geklungen, wenn jemand unerwartet an die Tür geklopft hat, so sieht es aus. Stella könnte vielleicht sagen, dass Mister Pfister das Finale ist. Die finale Zusammenfassung all derer, die in den Jahren, die sie mit Clara in der Stadt verbracht hat, vor ihrer Tür gestanden haben.

Stella sagt, Mister Pfister ist ein verdammtes Gespenst.

Sie sitzt am Küchentisch, trinkt Wasser, hat sich einen grünen Apfel geschält und in Schiffchen geschnitten, als wäre er für Ava, sie isst den Apfel sorgfältig, Stück für Stück, wie eine Gegenwehr. Clara, tausend Kilometer entfernt, sitzt auch am Küchen-

tisch. Am unaufgeräumten Tisch in ihrer Wassermühle unter einem kleinen quadratischen Fenster, die
Kinder im Kindergarten, Claras Mann in der Schule,
der Tisch voller Tassen und Pinsel, Farben und Gläser, Nüsse, Obst und Kerzenständer, Claras geliebte
Unordnung, ihr heilloses Durcheinander. Clara trinkt
Tee. Isst aber keinen Apfel dazu, raucht stattdessen,
sie pafft hörbar, und sie zeichnet, Stella kann das Stri-
cheln des Bleistiftes auf dem Papier hören.

Sie sagt, Mister Pfister ist eine Heimsuchung. Er ist
eine Strafe.

Eine Strafe wofür, sagt Clara.

Weiß ich nicht, sagt Stella düster. Ich hab's noch
nicht rausgefunden, aber ich glaube, ich stehe kurz
vorm Durchbruch, ich weiß es bald, ich komme schon
noch drauf. Erinnerst du dich an den Mann aus der
Straßenbahn?

Sie erinnert sich selber erst in diesem Moment an
den Mann aus der Straßenbahn. Wie lange ist das her –
fünfzehn Jahre? Ein Fremder, und sie war mit ihm zusammen aus der Straßenbahn gestiegen, selbstverständlich die ganze Straße entlang bis zu ihrem und
Claras Haus, wortlos die Treppe rauf und, endlich in
der glücklich leeren Wohnung angekommen, ohne
weitere Umstände ins Bett gegangen. Am hellerlich-
ten Tag. In Claras Bett.

Nicht in ihr eigenes, sondern in Claras Bett. Als wäre

diese Begegnung eigentlich nicht wahr, fände nicht wirklich statt oder geschähe einer anderen; Stella als Stella hätte nichts gewagt. Sie ist nur als Clara dazu in der Lage gewesen – Hand ausstrecken, Augen zumachen –, und auf diese Weise auch nur ein einziges Mal.

Sie sagt, der Mann, mit dem ich ins Bett gegangen bin, ohne ihn zu kennen. Den ich danach nie mehr wiedergesehen habe. Ich weiß nicht mehr, wie er hieß, kann auch sein, dass er mir seinen Namen gar nicht genannt hat, ich ihm meinen wahrscheinlich auch nicht. Ich heiße Stella? Das hab ich nicht gesagt. Aber ich erinnere mich an alles andere ganz genau. Ich hab alle Bedenken fallengelassen.

Eigentlich bin ich spröde, denkt Stella erstaunt. War ich schon immer so? Will Jason, dass ich spröde bin? Aber für Mister Pfisters Interesse spielt das ohnehin gar keine Rolle. Mister Pfisters Interesse ist von einer ganz anderen Art, und vielleicht ist genau das das Kränkende daran.

Sie sagt, ich weiß nicht mehr, ob ich die Wohnungstür abgeschlossen hatte für den Fall, dass du nach Hause gekommen wärst. Du bist nicht nach Hause gekommen. Ich hätte dir das nicht erzählen müssen, aber ich hab's dir erzählt. Ich hab dich gefragt, ob ich das Bett neu beziehen soll, dieser Mann war auf eine Art nicht sauber gewesen, die du nicht gemocht hast. Im Gegensatz zu mir.

Was hab ich gesagt, sagt Clara, jetzt klingt sie interessiert.

Du hast gesagt, nicht nötig.

Stella muss darüber lachen, Clara lacht auch. Wissend, wahrscheinlich wehmütig, es ist sinnlos.

Also erinnerst du dich jetzt, sagt Stella.

Ja, sagt Clara, ich erinnere mich. Und warum erzählst du mir das?

Weil Mister Pfister das genaue Gegenteil ist, sagt Stella, sie richtet sich auf und atmet tief ein. Wahrscheinlich erzähle ich dir das, weil er das genaue Gegenteil davon ist. Also jedenfalls kommt er hier jeden Tag vorbei, jeden Tag. Wenn Jason da ist, kommt er nicht, seitdem Jason weg ist, kommt er wieder. Klingelt, legt was in den Briefkasten, wartet auch gar nicht mehr, der weiß, dass ich da bin, dass ich nicht rauskommen werde, der weiß das ganz genau.

Stella steht auf, geht zum Wintergarten, öffnet die Fliegengittertür und bleibt im Türrahmen stehen. Das Mailicht schlägt auf die Wiese, die Bäume werfen harte, akkurate Schatten. Der Flieder ist verblüht, die Blütenkronen sind braun. Kühl, der Wind, der um die Hausecke kommt, ist schneidend, und die Wolken am Horizont ziehen schnell.

Mitte dreißig? Vielleicht ist er Mitte dreißig. Stella hat das Gefühl, sie sollte besser nicht mehr von Mister Pfister sprechen, ihr bekommt das gar nicht, aber sie kann nicht mehr zurück. Sie sagt, er sieht eigentlich ganz gut aus. Jungenhaft, offen, du weißt, was ich meine, aber das ist wie – beschädigt, verstehst du. Er sieht ganz normal aus, so wie wir alle eben, aber darunter kommt was anderes durch, Erschöpfung, Verwahrlosung, Trauer. Hörst du mir zu?

Ja, sagt Clara erstaunt. Ich höre dir zu.

Stella lauscht. Dann sagt sie, der ist absolut alleine. Der wirkt so, als hätte er alle Zeit der Welt. Unendlich viel Zeit. Ich hab ihn jetzt zigmal von unserem Haus weg die Straße runtergehen sehen, und er sieht nicht so aus, als ginge er zur Arbeit. Er trägt unauffällige Sachen, dunkle Jacke, helle Jeans, er hatte noch nie eine Tasche dabei, nie ein Buch oder eine Zeitung oder ein Mobiltelefon. Aber immer eine Packung Tabak, immer Blättchen, immer ein Feuerzeug.

Sie denkt darüber nach. Dann sagt sie feindlich, er raucht ständig.

Sie sagt, ich bin mir sicher, dass seine Finger vom Nikotin gelb sind. Zeigefinger und Mittelfinger, Stella spürt, dass sie sich in eine Rage redet, die Clara verdächtig vorkommen könnte, sie redet trotzdem weiter. Er wohnt in unserer Straße. Fünf oder sechs Häuser entfernt, Jason ist dran vorbeigegangen, ich nicht. Vielleicht sollte ich das mal tun? Ich glaube, er hält sich für was Besseres, das kannst du an seiner Schrift sehen, jedenfalls stimmt seine Rechtschreibung, und er hört klassische Musik, das hat er mir geschrieben. Ich habe das Gefühl, er ist hängengeblieben. Er ist hängengeblieben, an irgendeinem Tag in seinem Leben ist was nicht mehr weitergegangen, der steckt in einer Zeitschleife fest und meint, er könnte mich da mit hineinziehen – so sieht es aus.

Stella sagt, kannst du mir folgen, und sie horcht auf Claras nachdenkliches Schweigen am anderen Ende der Leitung, Claras nachdenkliches Schweigen in ihrem so weit entfernten Leben. Aber heute wie damals sitzt Clara doch immer noch am liebsten in der Küche und hat, Stella weiß es, die Füße auf dem Stuhl und das Telefon zwischen Kopf und Schulter eingeklemmt, weil sie in der Linken die Zigarette halten muss und in der Rechten den Stift.

Clara. Ich frage dich, ob du mir folgen kannst. Was zeichnest du denn.

Ich kann dir folgen. Ich zeichne natürlich Spiralen, sagt Clara trocken. Ich zeichne eine Zeitschleife.

Und wie muss ich mir das vorstellen, sagt Stella.

Na, wie ein schwarzes Loch, sagt Clara. Eine Spirale, eine ganz feine, ich habe eine feine Spirale gemalt, eher einen Wirbel. In der Mitte ein schwarzes Loch. Sog oder Abgrund. Der Abgrund, in dem Misterpfister hängengeblieben ist, das zeichne ich, ist ja auch naheliegend.

Schneide es aus und schick es mir, sagt Stella.

Schreib was Tröstliches drunter, vielleicht was Botanisches. Als wäre die Spirale was Schönes, eine Pflanze.

Mach ich, sagt Clara. Bin schon dabei.

Damals, in der Wohnung in der Stadt, in den drei Zimmern, von denen Clara das linke, Stella das rechte hatte, und im Zimmer in der Mitte stand nur ein Sofa, das Telefon und immer ein Strauß Blumen, hatte Clara ein Gedicht aus der Zeitung ausgeschnitten und an die Wohnungstür gehängt, bis zu ihrem Auszug war das Gedicht dort geblieben. *Jeden einlassen, wer auch kommt,* soweit Stella sich erinnern kann, war das die letzte Zeile gewesen.

Weißt du noch, wie dieses Gedicht hieß, das du an unsere Tür gehängt hast?

Hausordnung. Dieses Gedicht hieß *Hausordnung.*

Stella sagt, genau. *Hausordnung.* Jetzt fällt's mir wieder ein. Wärst du noch da, würde die noch gelten. Ich würde jeden einlassen müssen, und ich hätte also auch Mister Pfister eingelassen. Ihn in die Küche gebeten und ihm ein kaltes Bier auf den Tisch gestellt.

Aber Clara ist nicht mehr da, und ohne Clara sind die Gesetze dieser Hausordnung erloschen. Mister Pfister scheint das zu wissen, vielleicht ist er gerade deshalb auf Stella aufmerksam geworden, auf Stella ohne Claras Schutz und offenbar auch ohne Jasons Schutz.

Meinst du, ich sollte ihn einlassen? Ihm die Tür aufmachen und mit ihm sprechen?

Nein, sagt Clara langsam, und ihre Stimme klingt so inständig und tief, dass Stella plötzlich ruhig wird. Nein, du sollst ihn nicht einlassen. Ihm nicht die Tür aufmachen und auch nicht mit ihm sprechen. Du sollst auf dich aufpassen. Stella. Machst du das?

9

Mister Pfister kommt jetzt jeden Tag vorbei. Er hat begriffen, dass Stella sich Mühe gibt, am Vormittag nicht mehr zu Hause zu sein, ihre Schichten umzulegen, sie so früh wie möglich zu beginnen oder sonst wie unterwegs zu sein, sie hat schon dreimal in einem Café in der Fußgängerzone gesessen, vergeblich versucht, ein Buch zu lesen, Tee mit Milch getrunken, ein trockenes Croissant dazu gegessen und sich wie eine Fremde im eigenen Leben gefühlt.

Mister Pfister schneidet das mit. Das ist Jasons Ausdruck – Mister Pfister hat das mitgeschnitten, und also kommt er jetzt einfach ein wenig früher oder ein wenig später vorbei; obwohl er weiß, dass Stella nicht zur Tür kommen wird, ist es wichtig, dass sie da ist, wenn er klingelt. Er weiß, wann sie da ist, er weiß es fast immer, und Stella will es nicht gelingen herauszufinden, von welchem Platz aus er sie eigentlich beobachtet.

Wenn Ava da ist, klingelt er nicht, aber sie hat das Gefühl, es wäre nur eine Frage der Zeit, eine Frage von Tagen, dann wird er auch klingeln, wenn Ava zu Hause ist. Was fällt Stella dazu ein? Eine Flut. Ein steigender Pegel. Eine ablaufende Frist.

Mister Pfister klingelt am Gartentor. Er wartet einen genau bemessenen Augenblick, lässt etwas in den Briefkasten fallen, geht seiner Wege. Er kehrt nie um, er geht immer am Haus vorbei und weiter. Stella steht nicht mehr im Flur an der Tür. Sie bleibt, wo sie ist, wenn er klingelt. Manchmal sitzt sie in ihrem Zimmer am Schreibtisch und sieht ihn kommen, er kommt von links die Straße lang, und sie lehnt sich zurück, macht die Augen zu, zählt seine Schritte, sie flüstert: vier, drei, zwei, einer noch – jetzt, und dann klingelt es; wenn das Fenster hochgeschoben ist, kann sie das Klappern des Briefkastens hören. Sie lässt die Augen geschlossen, zählt seine Schritte zur Straßenecke hin, zählt weiter, und wenn sie die Augen aufmacht, ist er schon den Waldweg runter und außer Sicht.

Jeden Tag.

Im Briefkasten liegt ein Brief. Eine Karte, ein Umschlag, ein Zettel, ein Brief, und Stella nimmt einen Schuhkarton mit zum Briefkasten und lässt den Brief, die Karte, den Umschlag, den Zettel ungelesen in den Schuhkarton hineinfallen, sie drückt den Deckel auf den Schuhkarton, als wäre etwas darin, das sich wehren könnte, und sie stellt den Schuhkarton im Schuppen auf den Boden unter die Werkbank.

Dienstag, Mittwoch, Donnerstag, Freitag.

Der Freitag ist warm. Der Himmel früh am Morgen durchscheinend blau. Stella streitet mit Ava darüber, ob für den Weg in den Kindergarten Schuhe nötig seien oder nicht. Sie setzt zumindest eine Jacke durch, Ava hält auf dem Kindersitz ihre bloßen Füße triumphierend in die Luft.

Du weißt gar nicht, was heiß ist. Im Kindergarten dürfen wir heute baden gehen. Kaufst du Erdbeeren? Kannst du Eis kaufen? Können wir bald mal den Rasensprenger anmachen? Ich liebe es, wenn's heiß ist. Ich liebe es, wenn Sommer ist. Stevie liebt es auch, wenn Sommer ist.

Stella hört Avas Stimme zu, Avas in sich selbst versunkenen Fragen, sie kann die Zufriedenheit in Avas Stimme hören, Zufriedenheit über klare Feststellungen, eindeutige Gefühle. Ich liebe den Sommer. Ich liebe die Hitze. Stevie liebt den Sommer auch.

Liebst du den Sommer? Ava beugt sich weit nach links, um Stella von der Seite sehen zu können, das Fahrrad schwankt, Ava legt ihre Arme von hinten um Stellas Bauch.

Ja, ich liebe den Sommer auch. Setz dich gerade hin, wir fallen sonst um. Aber den Winter liebe ich mehr.

Ich liebe es mehr, wenn's kalt ist und schneit und stürmt.

Warum?

Tja, warum.

Die Wiese im Kindergarten ist schattig und kühl. Der runde Tisch für das zweite Frühstück ist unter den Bäumen gedeckt. Stella grüßt die Kindergärtnerinnen von weitem, sie befürchtet Fragen zu Ava, Bemerkungen, die sie beunruhigen könnten. Über Avas Gesicht flirrt der Laubschatten, sie sieht so wach aus, sie gibt Stella einen festen, friedlichen Kinderkuss.

Morgen fahren wir zu Papa.

Ja, morgen fahren wir zu Papa.

Stella fährt zurück nach Hause. Sie schiebt das Rad hinters Haus, schließt die Wintergartentür mit dem Schlüssel auf, der immer unter der Gießkanne liegt, sie denkt darüber nach, den Schlüssel mit ins Haus zu nehmen, aber dann legt sie ihn doch unter die Gießkanne zurück. Sie lässt die Tür offen stehen. Wäscht in der Küche das Geschirr ab, kocht Tee, schaltet die Waschmaschine an, das Radio aus, setzt sich mit der Zeitung an den Küchentisch.

Mister Pfister klingelt um neun Uhr dreiundzwanzig.

Stella stützt den Kopf in die Hände und sieht sich

sehr genau ein Foto von chinesischen Grubenarbeitern an. Schwarze Gesichter, irisierende Augen. Sie liest die Bildunterschrift, ohne ein Wort zu begreifen. Sie blättert die Zeitungsseite zurück, dann wieder vor. Nach einer Weile steht sie vom Tisch auf und geht ins Wohnzimmer, beiläufig, eine Frau, die aus dem Fenster schaut, mehr nicht. Die Straße ist verlassen. Niemand steht vorm Gartentor. Nichts bewegt sich.

Stella schließt die Wintergartentür, nimmt im Flur ihre Jacke vom Garderobenhaken und geht aus dem Haus. Sie sieht nicht in den Briefkasten. Sie zieht das Gartentor hinter sich zu und geht nach links die Straße runter.

Vor dem Haus nebenan liegt ein Hund in der Sonne. Die Haustür steht offen, die Studentin – Politikwissenschaften? Medizin? Anglistik? –, die manchmal, entweder verlegen oder unhöflich, über den Zaun grüßt, ist nicht zu sehen. An der Wäschespinne auf der Wiese hängen zierliche Unterhemden und ein gelbes Kleid, der Rasen ist nicht gemäht, die Beete sind verwildert, aus einzelnen Töpfen schießen schon Sonnenblumen hoch. Die Panoramafensterscheibe ist staubig, in ihrer rechten Ecke ein Skelett mit warnend erhobener Knochenhand, Kerzen in Flaschen auf dem Fensterbrett. Stella sieht hin, sie hat das unvermittelte Gefühl, alles habe eine Bedeutung, eine versteckte Botschaft.

Das Haus der asiatischen Familie daneben ist neu verputzt, der Garten gepflegt, die Hecke gestutzt und fast blickdicht, ein silbernes Auto in der Auffahrt, hinter allen Fenster heruntergelassene Jalousien. Ein Haus weiter kappt eine Greisin mit einer großen Schere die Zweige eines Rhododendrons, sie grüßt Stella nachsichtig, und Stella grüßt zurück und geht an ihr vorbei, an einem unbebauten Grundstück entlang, sie erinnert sich vage an einen Hausbrand, ein Unglück. Brachland, Schafgarbe und Lupinen, trockene Erde, kleine Vögel, Finken, Zaunkönige, im Gras. Ein Haus mit einem glänzenden Pool auf dem Rasen, ein weiteres mit einer Markise über dem Panoramafenster und der Terrasse nach vorne raus, ein Eisentisch, vier Stühle drum herumgestellt wie für eine wichtige Sitzung. Und dann ein Haus, vor dem ein Mann auf einem Klappstuhl ein Rad einspeicht, auf der Treppe vor der Haustür spielt ein Kofferradio, im Essigbaum zwischen den Grundstücken hängt eine Spiegelkugel in den Zweigen, dreht sich und wirft spektralfarbene Lichtpunkte über Haus und Wiese. Der Mann hebt die Hand. Stella hat ihn schon mal gesehen, wo war das, in der Stadt, im Center, im Kindergarten, sie hat ihn im Kindergarten gesehen, ein Fahrradmechaniker, er hat die Räder der Kinder repariert. Im hinteren Teil des Gartens liegt ein Boot unter einer Plane, lehnen alte Fahrräder aneinander. Etwas lässt Stella zögern, und der Mann gibt dem Rad einen Schwung und richtet sich auf. *Carlyle was in a spot, he'd been in a spot all summer, since early June, when his wife had left him,* singt eine Stimme im Kofferradio, Stella kann jedes einzelne Wort deutlich hören, sie kann überhaupt alles deutlich sehen, erhitzt und überzeichnet, mag sein, dass das daran liegt, dass ihr Herz ziemlich schnell schlägt, dass sie sich fühlt, als hätte sie Angst. Aber Angst ist nicht das richtige Wort. Sie sieht, wie das Rad langsamer wird und ausrollt, wie der Mann sich auf seinem Stuhl zurücklehnt, der Stuhl steht im Sand, der Gartenweg ist nicht gepflastert, der Sand wirkt blendend, sommerlich. Das nächste Haus ist Mister Pfisters Haus. Nummer 8, und Stella sieht weg und geht weiter, bevor sie sich's anders überlegen könnte. Sie kann diese Stimme aus dem Radio noch hören. Wie leise und anzüglich der Mann vor sich hin pfeift. Dann ist sie da.

Mister Pfisters Haus ist weiß. Neben der Haustür wächst ein Weinstock hoch. Der Rasen ist verblichen. Keine Beete, keine Gartenstühle, keine Tontöpfe, kein Tisch, kein Sonnenschirm. Nichts.

Sein Haus liegt still in der Mittagssonne. Verwaist. Stella muss die Augen zusammenkneifen, erkennt dann, dass das Panoramafenster von innen mit dunklem Stoff verhängt ist, auch das kleine Fenster neben der Haustür scheint zugestellt zu sein, und die Scheiben in der Tür sind schwarz.

Zwischen den Fugen der Treppe wächst Gras. Aus einem nicht greifbaren Grund wirkt es so, als wäre die Haustür schon lange nicht mehr geöffnet worden, als ginge Mister Pfister durch die Hintertür oder durch den Schornstein ein und aus. Stella steht am Gartentor. Ihr ist schwindelig und heiß. Sie hat die Hände um die rostigen Streben des Zaunes gelegt und sieht sich alles an, es ist etwas Befriedigendes daran, sich das alles anzusehen. Es ist eine Genugtuung, wie nennt man das, es ist eine Aneignung. Stella ahnt, dass sie das nicht tun sollte – sie sollte hier gar nicht sein. Sie tut das Gegenteil von dem, was Jason ihr geraten hat, sie reagiert, auch wenn Mister Pfister von dieser Reaktion zunächst gar nichts weiß. Aber sie kann nicht widerstehen. Sie kann nicht widerstehen. Sie sieht sich sein Haus so an, wie er sich ihres ansieht, sie geht mit einem Blick ohne jede Zurückhaltung, ohne jede Zärtlichkeit über seine Wege hin. Sie weiß, dass auch sein Blick auf ihr Haus, auf ihr Zuhause, ohne jede Zärtlichkeit ist. Woher auch immer, sie weiß das.

Mister Pfisters Briefkasten ist alt und dreckig. Stella dreht sich um, es ist niemand zu sehen, sie hebt die Briefklappe an. Sie spürt, wie der Schweiß ihr über das Rückgrat läuft. Der Briefkasten ist randvoll. Reklame, Wurfsendungen, Fensterbriefe. Stella nimmt einen

Brief heraus, den amtlichen Brief einer Bank, und stopft ihn wieder in den Kasten zurück; selbst wenn sie Mister Pfister hätte schreiben wollen, würde ihre Antwort ihn also nie erreichen. Mister Pfister scheint seine Post nicht zu lesen, er scheint auch keine mehr annehmen zu wollen, und Stella hat eine jähe Ahnung vom Inneren seines Hauses, Papierberge, Zeitungsstapel, Müllsäcke, Halbdunkel in der Küche, Tisch voller Gegenstände, Gegenstände, die in Mister Pfisters Augen minütlich ihre Gestalt, ihren Zweck und ihr Wesen ändern können. Aus dem Haus heraus schwappt eine bizarre, leuchtende, toxische Woge von Chaos, schwappt über die Türschwelle hinaus in den Garten und läuft auf Stella zu, und Stella lässt die Klappe vom Briefkasten herunterfallen und weicht zurück.

Sie wischt sich die Hände an der Hose ab.

Dann geht sie nach Hause.

An dem Mann auf dem Klappstuhl, an der Terrasse mit dem Eisentisch vorbei, der jetzt gedeckt ist und an dem ein Kind und drei Erwachsene sitzen, einzig das Kind blickt auf. Am Brachland vorbei, über das schon die flaumigen Pappelpollen fliegen, am Haus mit dem Rhododendron, am verschwiegenen Haus der asiatischen Familie vorbei, am Haus neben ihrem Haus, vor dem der Hund gerade aufsteht und gähnend seine Hinterbeine streckt; sie geht auf ihr eigenes Gartentor zu, den Weg, den Mister Pfister täglich geht, sie geht in seinem energetischen Feld. In welchem Augenblick hat er beschlossen, dass sein Leben etwas mit ihrem Leben zu tun haben soll. Wie lange schon geht er in der stillen Straße an all diesen Häusern und am Ende an Stellas und Jasons Haus vorbei und meint, es gäbe etwas, das er nur mit Stella besprechen könnte und mit niemandem sonst. Seit wann weiß er, ob Stella zu Hause ist und Jason nicht. Wie lange hat er darüber nachgedacht, an ihrer Tür zu klingeln, bevor er dann wirklich geklingelt hat.

Tage?

Wochen oder Monate.

Vielleicht denkt Mister Pfister schon seit Monaten an Stella. Stella hat noch nicht einmal gewusst, dass er existiert. Es muss einen Augenblick gegeben haben – auf der Straße mit Ava auf dem Fahrrad, im Center in der Schlange an der Kasse, im Park mit Walter im Rollstuhl, auf der Bank am Springbrunnen, in der Fußgängerzone, Arm in Arm mit Jason, oder ganz woanders, Stella alleine an einem anderen Ende der Welt –, in dem er sie gesehen hat, in dem er auf sie aufmerksam geworden ist. Es muss einen Anfang gegeben haben. Wann ist der gewesen.

Dermots und Julias Küche ist warm. Julia schläft. Sie hat etwas gegessen, ein weiches Ei und ein halbes Brot dazu, sie hat Wasser getrunken und ihre Mittagsmedikamente eingenommen, vor allem Schmerzmittel. Sie liegt auf der Chaiselongue im Wohnzimmer auf der Seite, die Decke zwischen den Knien. Stella kann sie durch die offene Tür sehen. Wenn sie so liegt, sieht sie wie eine junge Frau aus, wie die Frau, die sie mal gewesen ist, eine große, dünne Frau mit kurzen Haaren, weit auseinanderstehenden Augen, zu langen Armen, schrecklich anziehend, das ist, was Dermot sagt, Julia war so schrecklich anziehend als junges Mädchen, es war fast gar nicht auszuhalten. Die Chaiselongue ist braun. Die Decke ist grün- und magentafarben-gestreift. Julia trägt ein graues Kleid, es ist ihr vollständig egal, was Stella ihr anzieht, Dermot legt die Sachen, die Stella Julia anziehen soll, auf einen Stuhl, und Stella streift ihr das Kleid über, hält dabei Julias Kopf, der schwer ist wie bei einem Baby. Stella denkt, dass Dermot diese Sachen sehr sorgfältig aussucht. Kleider, die er schön findet. Kleider, die Julia einmal schön fand. Kleider, die nicht auf den Zweck reduziert sind und in denen sie nicht gedemütigt wird. Das Kleid heute hat eine feine Knopfleiste am Kragen, die Knöpfe sind rund, aus abgegriffenem Perlmutt. Der Saum ist bestickt. Julia auf der Chaiselongue schlafend, eingehüllt in die sich verdunkelnden Farben des gewittrigen Nachmittags, sieht nicht aus wie eine Kranke, eine Sterbende, sondern wie ein Bild. Stella sieht hin. Sie blinzelt. Sie ist müde, in letzter Zeit ist sie ständig müde.

Dermot gießt Stella ein Glas Wasser ein und stellt es vor sie hin. Draußen, vor der Küche, zieht ein Arbeiter entschuldigend eine Plane aus Plastik vor das Fenster, er schaut in die Küche hinein wie in ein Aquarium, befremded, interessiert zugleich. Das Haus, das Dermot und Julia nicht gehört, ist alt, und es wird saniert und dann verkauft. Sie haben eine Frist bekommen, aber sie werden ausziehen müssen. Wenn es so weit ist, wird Dermot vielleicht schon alleine sein. Er wird die Dinge ihres gemeinsamen Lebens alleine einpacken müssen, Bücher und Noten, vor allem Bücher und Noten, aber auch jede Menge Bilder, Zeichnungen, Fotos in Rahmen, Kisten mit Papieren und

Schränke mit Korrespondenzen in Aktenordnern, vom Geschirr in der Küche, den Tischen und Stühlen, Regalen und Lampen, Sesseln und Sofas, vom Harmonium und der braunen Chaiselongue mal ganz abgesehen. Im Keller steht noch ein Schaukelstuhl. Julias Schlittschuhe in einer Tasche aus Leder. Dermot spricht über diese Dinge nicht. Stella beobachtet ihn. Er verhält sich nicht so, als wäre alles endlich. Er ist seit sechzig Jahren mit Julia verheiratet. Keine Kinder. Keine Familie. Wenn Julia stirbt, und Stella ahnt, dass das ziemlich bald der Fall sein wird, wird Dermot alleine sein. Die Konstellation ist so eindeutig, dass sie einfach wirkt. Dermot würde vielleicht sagen, er sei darauf vorbereitet. Vielleicht würde er das sagen – darauf bin ich vorbereitet.

Er ist klein und ein wenig bucklig. Sein Kopf ist zu groß. Er hat ein so sanftes und zurückhaltendes Wesen, dass Stella sich, auch wenn sie nur eine kurze Zeit mit ihm verbracht hat, eine ganze Weile fühlt, als könnte sie von nun an ein besserer Mensch sein. Ein freundlicherer Mensch, dankbar. Dermots Freundlichkeit überträgt sich auf sie, überträgt sich auch auf andere Menschen, mit denen sie zusammenkommen – Paloma, die nervösen Schwestern im Krankenhaus, der erschöpfte indische Arzt, die schlechtgelaunten Fahrer des Krankentransports, die Frau, die Julia die immer noch dunklen und sehr weichen Haare schneidet, die Bauarbeiter, die das Haus einrüsten, das Dach einreißen, die Planen ausbreiten, den Putz abschlagen und damit nicht warten können, sie können damit bedauerlicherweise auf gar keinen Fall warten – alle treten einen Schritt zurück, sammeln, beruhigen sich und versuchen ein Lächeln, versuchen es einmal anders. Das ist Dermot. Wie Julia auf Dermot reagiert, kann Stella nicht sagen. Julia ist schon zu weit weg, sie war schon zu weit weg, als Stella ins Haus kam. Möglicherweise ist Dermots Freundlichkeit an Julias Krankheit gebunden. Das ist nicht auszuschließen. Aber Stella sieht diese Freundlichkeit auch auf den Fotos, die in den Regalen stehen, vierzig Jahre alte Positionen, Dermot und Julia am Meer, Julia geht aus dem Bild mit einem schrecklich anziehenden Lächeln, Dermot sitzt auf einem runden Felsen, dem Fotografen zugewandt, die Schultern hochgezogen und die Hände zwischen den Knien. Der Horizont ist verwaschen und fast unkenntlich, eine Buhne stippt ins Wasser, verliert sich im Ungefähren. Wo war das? Tja, wo war das, wo ist das gewesen. Dermot sagt, er habe es vergessen, und er lacht darüber. Es war jedenfalls im März? Vielleicht war es März.

Die Küche taucht ins Zwielicht. Die Bauarbeiter schlagen den Putz ab, als rissen sie das Haus entzwei, die Scheiben zittern. Stella sieht auf die Uhr. Sie kann noch eine halbe Stunde bleiben. Sie wird noch eine halbe Stunde hierbleiben. Dermot setzt sich zu ihr. Er ordnet Julias Medikamentenschachteln auf dem Tisch an, drückt himmelblaue, weiße und rote Tabletten aus den Folien und sortiert sie in den Schieber ein, er zählt leise vor sich hin, blättert die Rezepte durch, sagt, Multimorbidität, finden Sie dieses Wort eigentlich genauso absurd wie ich? Er sagt, trinken Sie Ihr Glas Wasser aus, bevor Sie gehen. Stella weiß, dass er früher, als Julia noch nicht krank war, morgens immer als Erster aufgestanden ist und ihr ein Glas Wasser ans Bett gebracht hat. Julia, in der morgendlichen Dämmerung im Bett, zurückgelehnt, das Fenster offen und draußen der beginnende, einfache Tag. Das ist selbstverständlich gewesen. Dermot steht immer noch als Erster auf. Julia bleibt liegen, würde sie ein Glas Wasser trinken, müsste sie sich übergeben. Ebenso selbstverständlich.

Mach ich, sagt Stella.

Sie sieht ihm eine Weile zu, dann fasst sie sich ein Herz. Sie sagt, wissen Sie, wie das heißt, wenn man sich blitzartig verliebt? Wenn einen die Liebe wie ein Schlag trifft, wie ein Unfall. Ich weiß, dass es ein Wort dafür gibt, aber es fällt mir nicht ein.

Sie dreht ihr Glas auf dem Tisch und versucht, zerstreut auszusehen. Sie weiß, dass Dermot ihr zugetan ist. Ihrer beider Gefühl für den anderen ist anhänglich und vorsichtig, ein schüchternes Vertrauen.

Dermot macht den Schieber zu. Er zieht sich den Pullover über die Handgelenke – er trägt immer die gleichen schwarzen Pullover, und die Wolle ist an den Handgelenken immer aufgeräufelt und löchrig – und schaut Stella an, vielleicht eine Spur irritiert, aber auch erstaunt, offen.

Ist Ihnen das passiert? Er sagt es so, als würde er sich darüber freuen, wenn Stella das passiert wäre.

Nein, sagt Stella, das ist mir nicht passiert. Vielleicht ist es mir mit Jason so gegangen, Liebe auf den ersten Blick, das hatte ich mit Jason. Aber das meine ich nicht. Ich meine das Gegenteil davon – das gleiche Gefühl, aber was Zerstörerisches dabei, etwas Ungutes.

Dermot denkt nach.

Dann sagt er, Sie meinen coup de foudre. Das Liebesgewitter, das ist es, was Sie meinen. Das Zerstörerische kommt vom Blitz. Von der Kraft des Blitzes.

Er lächelt darüber, als wäre das etwas ganz Wunderbares. Warten Sie. Einen Moment.

Er steht auf und geht von der Küche ins Wohnzimmer, an der Chaiselongue vorbei, er berührt Julia nicht, er könnte ihre Decke glattziehen oder sie an der Schulter berühren, aber das tut er nicht, und sie regt sich nicht, sie bleibt in diesem Bild der leichten Farben, eine Schlafende. Stella sieht zu, wie Dermot die Schubladen seines Schreibtisches aufzieht, er kramt eine Weile in einem Karton herum, stellt ihn seufzend ab, geht dann zum Regal und zieht Bücher aus den Reihen, pustet Staub von den Buchrücken, schlägt sie auf und wieder zu und kommt schließlich mit einer Postkarte zurück in die Küche, schiebt die Medikamentenschachteln zur Seite und legt sie vor Stella auf den Tisch.

Ein Bild, ein abstraktes Gemälde, eine Figur, wie Ava sie noch malt – runder Kopf mit Zöpfen, abstehenden Ohren und Telleraugen, aus dem die Arme und Beine wie Fühler wachsen. Der Ausdruck der Figur ist voller Sorge, sie sieht aus wie in Stücke geschlagen, vernichtet und zerstört, irreparabel, hier wird nichts mehr gesund. Durch den Körper fährt ein gelber Blitz. Pfeile, von oben nach unten, und im Hintergrund eine andere Figur, männlich und schattenhaft, ein Körper und zwei Köpfe.

Ungefähr so?

Ja, ungefähr so, sagt Stella zögernd. Aber vielleicht eher umgekehrt. Erleidet das Mädchen mit den Zöpfen das Liebesgewitter? Oder diese Schattengestalt dahinter. Die männliche Gestalt. Sie tippt mit dem Zeigefinger auf die zwei Köpfe, auf den rechten Kopf.

Das kann man so oder so sehen, sagt Dermot. Ich weiß es nicht. Gegen das Geliebtwerden kann man sich jedenfalls nicht wehren.

Mister Pfisters Blick auf mich muss so gewesen sein, denkt Stella. Und jetzt bin ich wie das Mädchen auf dem Bild, ich falle.

Geht es Ihnen gut, sagt Dermot.

Doch, es geht mir gut, sagt Stella. Es geht mir gut. Ich hab mit jemandem zu tun, dem das passiert ist, verstehen Sie, dem ist das in Bezug auf mich passiert.

Sie spürt, dass sie rot wird, es macht sie verlegen, das zu sagen. Ich muss damit umgehen. Ich muss nur lernen, damit umzugehen.

Wahrscheinlich nicht einfach, sagt Dermot. Nun, wahrscheinlich ist das nicht einfach.

Mehr sagt er nicht. Es gibt auch nicht mehr zu sagen, denkt Stella. Sie sitzen schweigend zusammen und hören dem Klopfen der Bauarbeiter zu, Klopfen auf Holz, Stein und Beton, vielfältig, wie eine unbestimmte Bitte um Einlass, die Ankündigung einer schwierigen Maßnahme, und sei es ein einziges Wort.

Julia auf der Chaiselongue dreht sich um. Stella lauscht, aber Julia ruft nicht.

Man muss, glaube ich, immer ein Arrangement versuchen, sagt Dermot. Er sagt es, als hätte er schon eine Weile darüber nachgedacht. Zwischen Anteilnahme und Gleichgültigkeit eine Mitte finden. Die Gleichgültigkeit ist sehr wichtig. Ich meine nicht Kälte, ich meine eher Gelassenheit. Vielleicht sollten Sie sich das nicht zu Herzen nehmen? All das geht auch vorüber, so viel kann ich Ihnen sagen.

Stella nickt. Sie muss plötzlich so deutlich an Jason denken, als hätte er sie gerufen. Als würde er in der

Baustelle vom Dach fallen und fallend nach ihr rufen. Sie muss an ihren ersten Blick auf Jason denken – ernst und zornig, sowohl auf seiner als auch auf ihrer Seite. Ernst und zornig; einer ist vor dem anderen zurückgeschreckt, und sie erkennt zum ersten Mal, dass das so gewesen ist.

Sie möchte Dermot fragen, ob er sich an seinen ersten Blick auf Julia erinnert. An einen Blick, der über sechzig Jahre her ist. Aber sie traut sich nicht. Sie wiederholt seinen letzten Satz wie eine Frage, und sie sieht an dem Ausdruck, mit dem Dermot sich umdreht, dass auch das keine Wahrheit ist. Nichts, was man endgültig wissen könnte. Nichts für immer.

Am Abend sitzt sie mit Ava am Küchentisch, sie essen zusammen, Weißbrot und grüne Tomaten, Ava zerrupft das Brot gründlich und vollständig, trinkt Saft in durstigen Schlucken, sie hat im Kindergarten eine Katze gemalt mit langen Schnurrhaaren und großen Augen, die Katze hängt jetzt an der Wand über der Truhe. Stella kann im Fenster die wilde Wiese sehen, die Gewitterwolken über der Wiese. Es ist noch nicht spät, trotzdem fast dunkel, Ava hat die Kerze auf dem Tisch anzünden dürfen.

Sie sagt, die Katze sieht dumm aus.

Sie sagt, im Morgenkreis möchte ich immer neben Stevie sitzen. Immer. Nie mehr möchte ich im Morgenkreis woanders sitzen. Weißt du, was Stevie werden will?

Nein.

Feuerwehrmann. Ava beugt sich über den Tisch und flüstert. Er will Feuerwehrmann werden oder Spion.

Aha, sagt Stella. Etwas an Stevie kommt ihr seltsam vor, und Ava spürt das, sie runzelt ärgerlich die Stirn und wechselt das Thema. Ich möchte baden. Und ich weiß gar nicht, was ich mir zum Geburtstag wünschen soll. Was soll ich mir wünschen? Ich möchte ein Gartenfest haben. In den Zirkus gehen. Findest du, dass die Katze dumm aussieht? Ich mag es, wenn wir im Dunkeln sitzen. Oh, ich mag es, wenn es gleich regnet.

Ava dreht sich zum Fenster um.

Stella sagt, ich finde, die Katze sieht schlau aus. Wie eine Zauberin.

Es klingelt an der Tür. Fest und lange, eindeutig.

Ava sagt, das ist Papa. Ist das Papa.

Sie sagt es, ohne sich umzudrehen, und einen unwirklichen Moment denkt Stella, dass Ava gewusst hat, dass es klingeln wird. Dass sie sich zum Fenster umgedreht hat, damit Stella ihr Gesicht nicht sehen kann.

Stella sagt, nein, das ist nicht Papa. Papa hat einen Schlüssel. Er klingelt nie.

Ava wartet und lauscht. Dann dreht sie sich doch zurück zu Stella, sie legt ihre Hände auf den Tisch, schaut Stella verhalten an, sie sitzt sehr still da.

Warum machst du nicht auf.

Weil wir keinen Besuch wollen. Wir wollen keinen Besuch, oder. Es ist spät, wir essen gerade zu Abend, du musst gleich ins Bett, du möchtest noch baden, wir müssen deine kleine Tasche packen, weil wir morgen früh zu Papa fahren, wir können jetzt keinen Besuch gebrauchen.

Aber wer klingelt, sagt Ava. Wer klingelt denn, sie sieht so aufmerksam aus, so weise, ihre Augen sind glänzend, rund und fremd.

Irgendjemand, sagt Stella heftig. Irgendjemand, jemand, den wir gar nicht kennen und auch nicht kennenlernen wollen. Ich möchte nicht, dass du jemals ohne mich die Tür aufmachst, die Haustür nicht und auch nicht das Gartentor, hast du gehört, was ich dir sage? Hast du mich verstanden?

Aber warum wollen wir denn nicht irgendjemand kennenlernen, sagt Ava. Sie geht über Stellas Frage schlicht hinweg. Warum denn nicht? Vielleicht ist es besser, du lässt ihn rein, und wir lernen ihn dann kennen.

Ava, sagt Stella.

Sie versucht, sich das vorzustellen. Sich das einfach nur mal vorzustellen. Mister Pfister in der Küche. In dieser Küche neben Ava am Tisch. Es ist natürlich unmöglich.

Sie sagt, das geht nicht. Das geht nicht, du musst es einsehen, auch wenn du's nicht verstehst. Wir müssen das abwarten. Sehen, wie's weitergeht.

Aber ich verstehe das, sagt Ava. Ich verstehe das ganz genau. Und die Katze sieht trotzdem dumm aus, eine hässliche Katze habe ich gemalt, ich weiß es, und du weißt es auch.

Mister Pfister klingelt nicht noch einmal.

Er klingelt nachts um zwei, und Stella ist sofort wach. Sie steht auf und geht aus dem Schlafzimmer rüber in das kleine Zimmer, sie ist wach, weil sie gewartet hat.

Die Straße ist dunkel. Das Gewitter ist vorübergezogen, die Straßenlaternen sind schon ausgegangen. Stella kann Mister Pfister trotzdem sehen. Dieses Mal geht er in die andere Richtung, nach Hause, und sie kann seine gemessenen, gleichmütigen Schritte in der nächtlichen Stille hören. Lange noch, sie meint fast hören zu können, wie Mister Pfisters Gartentor hinter ihm ins Schloss fällt. Wo kommt er her um diese Zeit.

II

In der Woche nach Stellas und Avas Rückkehr von Jasons Baustelle wird es sommerlich heiß. Achtundzwanzig, dreißig, zweiunddreißig Grad. Stellas Wecker klingelt um halb sechs. Sie macht den Wecker aus und bleibt liegen, liegt wach auf dem Rücken in ihrem ohne Jason leeren Bett und spürt die morgendliche Kühle wie eine Berührung, gerade weil sie von kurzer Dauer ist. Im Garten ist das Gras um sechs Uhr in der Frühe feucht und kalt. In der Hecke sitzt eine Drossel. Die Morgensonne taucht Avas Sandkasten in tiefen, mit den Händen zu greifenden Schatten, am Rand der Wiese gehen die ersten Mohnblumen auf. Das Geräusch langsam am Haus vorbeirollender Autos, Leute auf dem Weg in den noch ungewissen Tag.

Ava schläft unter einem Laken, sie liegt am Morgen ohne das Laken da, die Arme hingebungsvoll von sich gestreckt, die Haare verschwitzt. Die Wärme kommt ins Haus wie ein Gast. Stella frühstückt mit Ava im Garten. Sie trinkt Tee und sieht zu, wie Ava versunken Porridge mit Beeren isst, wie sie mit den Beinen baumelt, die Füße ins Gras drückt. Ich muss nur ein Kleid anziehen, sagt Ava beeindruckt. Nur ein einziges Kleid, nichts sonst. Im Kindergarten läuft Stevie auf Ava zu, im Gesicht einen Ausdruck besorgter Freude, so kommt es Stella jedenfalls vor. Er ist mager, trägt trotz der Wärme eine Mütze aus Fuchsfell auf dem Kopf und schenkt Stella keinen einzigen Blick. Sie hält Ava fest und sagt, bis nachher, Ava, bis später, aber Ava entzieht sich, hat sich schon abgewandt.

Und wo waren Sie, sagt Esther. Wo sind Sie das ganze Wochenende gewesen, Sie sind ja auch nicht die Hellste, aber die anderen Mädchen aus Ihrem schrecklichen Pflegedienst sind wirklich noch dümmer, sie sind alle scheußlich dumm.

Stella antwortet nicht, wenn Esther in dieser Verfassung ist, redet sie gar nicht mit ihr. Sie macht die Fenster auf und wieder zu, lässt die Jalousien aus chinesischem Papier herunter, bezieht das Bett neu und wechselt die Blumen in den Vasen aus, sie wäscht Erdbeeren ab, schneidet und zuckert sie, ich werde das nicht essen, sagt Esther, ich esse gar nichts mehr, ich esse nichts von alledem. Esther sitzt auf ihrem Korbstuhl, eine zerknitterte Königin in sandfarbener Unterwäsche, sie sieht aus wie ein altes, störrisches Kind, ihre Haare stehen zu Berge, ihr Gesicht glüht. Stella hebt sie in den Rollstuhl, einen Moment stehen sie beide engumschlungen mitten im Raum, Esther in Stellas Arm, eine Aufforderung zum Tanz. Stella spürt Esthers Atem an ihrem Schlüsselbein, sie spürt Esthers Zartheit. Sie schiebt Esther ins Bad, hebt sie auf den Rand der Wanne, stellt Esthers Füße in die Wanne und dreht das kalte Wasser auf, sie wäscht Esther, dann sitzt sie auf der Toilettenschüssel und sieht zu, wie Esther das Wasser mit geschlossenen Augen über ihren Puls laufen lässt, über ihre Unterarme, die Knie. Als säße sie an einer Quelle.

Also, sagt Esther. Wo waren Sie. Wie war's. Es ist deutlich zu merken, dass Sie irgendein Problem haben. Reden Sie mit mir.

Stella muss darüber lachen. Sie glaubt, dass Esther sich mit diesem vorgetäuschten Interesse für andere durch ihr ganzes Leben geschummelt hat, dass Esther im Grunde gar nichts wissen will, nichts von Stella und auch nichts von jemand anderem. Sie ist interessiert, aber nicht am Einzelnen, eher am Großen und Ganzen. An der Weltpolitik. Dem Ausgang der Kriege. Krieg an sich.

Ich war draußen aufm Land, sagt Stella. Mit meinem Mann und meinem Kind. Wir waren baden. Es ist alles in Ordnung, ich gebe Ihnen noch fünf Minuten, dann müssen wir zurück ins Zimmer. Sie werden die Erdbeeren essen, ich werde Sie dazu zwingen.

Ach, zum Teufel, Sie können mich mal, sagt Esther träge. Ihr Mann und Ihr Kind. Ich habe auch einen Mann gehabt und einige Kinder, und sie sind alle weg, auf und davon. Das Leben ist grässlich, sind Sie schon dahintergekommen?

Sie wehrt Stellas Hände ab. Wäscht sich selber das Gesicht und den Nacken, bleibt auf dem Rand der Wanne sitzen, nackt, ein Inbegriff.

Stella fährt in der Mittagspause in Palomas Büro. Paloma hat den Ventilator auf dem Fensterbrett auf die höchste Stufe gestellt, durch das Zimmer geht ein energischer, künstlicher Zug. Paloma benutzt trotzdem noch einen Fächer dazu, sie ist barfuß, ihre gebräunte Haut glänzt. Sie zeigt auf den Stuhl vor ihrem Tisch, Stella setzt sich folgsam. Paloma sieht Stella prüfend an, dann klappt sie den Fächer zu und sagt, also Jason ist nicht da, als gäbe es einen Zusammenhang zwischen Stellas Anwesenheit und Jasons Abwesenheit. Das ist nicht ganz falsch. Aber es ist auch nicht richtig.

Nein, Jason ist wieder weg, sagt Stella.

Wie lange denn dieses Mal, sagt Paloma, sie wartet

die Antwort nicht ab. Sie sagt, lass uns rausgehen und die Füße in den Brunnen halten. Lass uns den Spatzen zusehen.

Sie schließt das Büro ab, und Stella folgt ihr durch das stickige Foyer nach draußen in den Park. Gleißende Helligkeit. Paloma ist barfuß geblieben, und Stella zieht sich am Brunnen die Schuhe aus und setzt sich neben Paloma auf den Rand, stellt die Füße ins Wasser, stützt sich mit den Händen auf dem heißen Stein ab. Kein Wind, die Alleebäume stehen reglos. Stella meint, die Stimmen der Kinder im Kindergarten am Ende des Parks hören zu können. Sie fürchtet, Ava könnte vorbeikommen, Hand in Hand mit Stevie in einer Zweierreihe zum Spaziergang aufgestellt, sie denkt zum wiederholten Mal, dass in ihrem Leben alles zu nah beieinander liegt. Arbeit, Haus, Kindergarten. Sie wünscht sich Entfernungen, zurückzulegende Wege, einzig Jason, denkt Stella, ist immer entfernt, zu weit weg, als dass ich ihn erreichen könnte.

Die Spatzen baden im Brunnen, in sicherem Abstand. Paloma rafft ihr Kleid hoch, hält die Handgelenke ins Wasser, Stella kann Goldpartikelchen in ihren Armbeugen glitzern sehen. Sie denkt an Esther auf dem Rand ihrer Badewanne, an Esthers trockene Haut, ihren listigen Blick. Esther würde zu den Goldpartikelchen etwas zu sagen haben.

Dieses Jahr mache ich eine Reise, sagt Paloma. Ich bleibe eine Woche im Sommerhaus, und dann schließe ich's ab, besuche meine Mutter und fahre weiter, mit dem Auto immer geradeaus, bis ich irgendwo ankommen werde. Wo auch immer ankommen werde. Das habe ich vor.

Sie schirmen beide die Augen gegen das Licht ab und sehen den Parkweg runter, als käme etwas auf sie zu. Das Laubwerk ist jetzt dicht, und die Pfauen rufen im Verborgenen. Stella stellt sich Palomas Mutter vor, eine alte Frau auf einem Balkon in einer Siedlung, in der es vor fünfzig Jahren viele Kinder gab und in der heute die Wäscheleinen, ordentlich zwischen Holzpfosten gespannt, leer sind. Vielleicht lebt Palomas Mutter so. Vielleicht lebt sie völlig anders.

Wo schläfst du, wenn du deine Mutter besuchst.

Ich schlafe auf dem Sofa, sagt Paloma. Ich schlafe auf dem Sofa und wache nachts davon auf, dass der Fernseher knackt. Dass das Gehäuse des Fernsehers knackt. Kennst du dieses Geräusch? Widerlich. Es ist widerlich.

Sie schüttelt den Kopf und steht auf, steigt aus dem Brunnen, die Abdrücke ihrer Füße verdunsten schnell auf den Steinen.

Ich muss weitermachen. Das Telefon klingelt, ich kann das auch hier draußen hören, wahrscheinlich nur eine Einbildung. Aber bei dieser Hitze drehen die Alten durch und sterben wie die Fliegen. Wie die Fliegen. Komm mit rein. Bleib noch ein wenig bei mir, bis du zu Julia musst.

Vielleicht wünscht Paloma sich, dass Stella spricht. Aber Stella wüsste nicht, was sie sagen sollte. Wie sie ihre Passivität erklären sollte, ihr Warten. Worauf wartet sie?

Die Planen vor den Fenstern von Julias und Dermots Haus scheinen die Wärme abzuschirmen, und die Atmosphäre ist in allen Zimmern diffus. Stella wäscht Julia, zieht sie an und bringt sie in die Küche. Dermot geht einkaufen, in die Bibliothek, spazieren, Stella weiß nicht, was er macht, wenn er aus dem Haus geht, sich aus der Zweisamkeit mit Julia für eine Stunde löst. Als er zurückkommt, hat er ebenfalls Erdbeeren mitgebracht. Julia sitzt auf der Küchenbank an die Wand gelehnt, den Kopf zur Seite geneigt, das Gesicht dem blauen Licht vor dem Fenster zugewandt. In ihrem Schoß liegt ein silberner Löffel, Julia legt den Daumen immer wieder wie prüfend in die Vertiefung hinein. Dermot betrachtet sie. Dann sagt er, ich hab Erdbeeren mitgebracht, selbstverständlich hat sie nichts zu erwidern. Stella wäscht die Erdbeeren ab, Dermot reicht ihr einen Teller, stellt den Teller mit den Erdbeeren auf den Tisch, genau in die Mitte.

Setzen Sie sich noch einen Augenblick.

Stella setzt sich neben Julia. Sie wünscht sich, Dermot würde sie etwas fragen, und das tut er freundlicherweise. Er räuspert sich. Dann sagt er, sind Sie mit Ihrem coup de foudre weitergekommen?

Nein, sagt Stella, sie muss lächeln, als würde sie lügen. Nein, bin ich nicht. Wir waren dieses Wochenende am See, auf Jasons Baustelle. In dem Haus, das er gerade baut.

Dermot sieht sie abwartend an. Stella zieht die Schultern hoch. Was soll sie erzählen? Das Haus steht am Ufer, ein Gerüst zeigt die Wände an, die Fenster sind noch nicht eingebaut, ein Haus wie eine Idee, eine Vorstellung von einer fernen Zukunft. Das Gegenteil von Dermots und Julias Haus, auch das Gegenteil von Stellas und Jasons Haus. Ausblicke aufs Wasser, auf den Wald.

Sie sagt, es war das erste warme Wochenende in diesem Jahr, oder. Wir haben in Schlafsäcken auf dem Dach übernachtet. Doughnuts gegessen, Tee aus der Thermoskanne getrunken, es war sehr provisorisch alles. Ava fand's gut. Ava ist im eisigen See baden gegangen.

Eichelhäher in den hohen Wipfeln der Tannen, Warnungen vor was. Ava und Jason waren im Wald verschwunden, Stella hatte in der Mitte eines Zimmers groß wie ein Tanzsaal auf einem umgedrehten

Farbeimer gesessen und darüber nachgedacht, dass ihr im Leben ein Provisorium nach dem anderen abhanden gekommen war. Erbittert darüber nachgedacht. Aber Jason hatte später darüber gelacht. Er hatte gesagt, die Veränderungen kommen früh genug wieder, Stella. Warte es ab. Was ist ein Provisorium? Avas Frage, und Stella hatte gesagt, Papa und ich reden über zwei verschiedene Dinge. Avas Hände, zusammengehalten wie eine Schale, und in der Schale ein Hirschkäfer, schillernd und grün. Beim Abschied hatte Stella geweint. Stella, Ava nicht.

Sie sagt, wir hatten eine ruhige Zeit. Ich hatte Abstand. Ich muss mal weitersehen.

Julia wendet sich nicht zu Stella um. Sie sieht zum Fenster hin, als säße sie alleine in der Küche, der Löffel in ihrem Schoß dreht sich wie eine Kompassnadel. Stella macht das nichts aus. Trotzdem wäre es ein Geschenk, wenn Julia etwas sagen würde, unverhofft, etwas Einfaches und absolut Richtiges.

Die Nacht unter freiem Himmel war schön, sagt Stella. Die Nacht unter freiem Himmel war eigentlich das Schönste.

Im Garten, am Abend zu Hause, holt Stella für Ava den Rasensprenger aus dem Schuppen und dreht ihn auf. Ava kneift zitternd vor Erwartung die Augen zu, bevor der Wasserstrahl kippt und auf sie fällt, sie steht unter dem Rasensprenger, die Arme eng an den Körper gezogen, die Hände zu Fäusten geballt. Stella klappt den Sonnenschirm zusammen, deckt den Tisch. Zwei Teller, zwei Gläser. Zu wenig. Stimmen aus den anderen Gärten, das Schlagen von Fliegengittertüren, Klirren von Eiswürfeln. Das Telefon klingelt, und Ava rennt nass ins Haus. Jason ist dran.

Ist alles in Ordnung? Geht es euch gut?

Es ist heiß, sagt Stella. Du bist nicht da. Es geht uns gut.

Und Mister Pfister legt jetzt jeden Tag etwas in den Briefkasten.

Einen Brief in einem roten Umschlag, festes, dickes Papier, wie eine Einladung zu einem Kindergeburtstag, eingeworfen nachts um drei.

Einen Brief in einem gelben Umschlag, auf dem nur Stellas Name steht.

Ein schreckliches kariertes Blatt, vom ersten bis zum letzten Karo mit winzigen Buchstaben beschrieben, eine Ameisenschrift, durch die sich mit Kugelschreiber gekritzelte Strudel und Kreise ziehen.

Er legt am Dienstagmorgen einen Zettel in den Briefkasten, auf dem das Wort *Mittwoch* steht.

Er legt ein Diktiergerät in den Briefkasten. Einen USB-Stick. Eine selbstgebrannte CD in einer Hülle, die mit Gaffa zugeklebt ist. Eine kleine, durchsichtige Tüte mit undefinierbaren Dingen darin – Kerne?

Er legt ein Stück Pappe in den Briefkasten, auf das Stück Pappe ist ein Zeichen gemalt, das Stella verwirrt, weil es den Zeichen ähnelt, die irgendwer vor zehn Jahren in die Türschwelle von Stellas und Claras Wohnung in der Stadt geritzt hatte; drei ineinander verschlungene Kreisbögen, Symbol für eine unendliche Verbindung, was bedeutet dieses Zeichen für Mister Pfister?

Mister Pfister legt eine Rolle Paketschnur in den Briefkasten. Ein abgebranntes Streichholz, ein Feuerzeug und einen dreckigen Lutscher an einem zernagten Stiel.

Er legt einen ganzen Tag lang nichts in den Briefkasten, ein Nichts voller Andeutungen, eine pulsierende Zäsur.

Er legt ein Notenblatt in den Briefkasten, Krickelkrakel zwischen den Notenlinien, und der Notenschlüssel ist gründlich übermalt.

Ich hör schon lange keine Musik mehr, sagt Stella. Sowieso, schon lange nicht mehr.

Sie wartet auf Post von Clara. Auf Claras Sicht von Mister Pfisters Abgrund, die Spirale mit dem botanischen Namen, ihren energetischen Schutz. Aber Clara scheint zu meinen, dass Stella für sich selber sorgen kann.

Am Freitag liegt ein Foto im Briefkasten. Stella versucht, sich das Foto nicht anzusehen, und sie scheitert. Sie bleibt mit dem Foto in der Hand auf dem Weg zum Schuppen, zum Schuhkarton, im blendenden Sonnenlicht stehen, beugt sich darüber, studiert es, sie kann gar nicht anders.

Ist das Mister Pfister?

Eindeutig, er ist es.

Mister Pfister neben seiner Mutter oder neben seiner Großmutter, Mister Pfister jedenfalls neben einer älteren Frau in einem Wohnzimmer, das Wohnzimmer ist düster, eine Couch, ein niedriger Tisch und zur Hälfte die Zweige eines mit Lametta behängten kümmerlichen Weihnachtsbaumes. Mister Pfisters Gesichtsausdruck ist unsäglich. Die Frau neben ihm sitzt mit weitaufgerissenen Augen und wirkt so erstarrt, als würde sie massiv bedroht, die Stimmung des Zimmers ist absolut bedrückend. Dieses Zimmer ist kein Zimmer in Mister Pfisters Haus, Stella ist sich sicher, das Fenster hinter der Couch ist kein Fenster in den Siedlungshäusern. Möglicherweise ist es ein Fenster in einem Mietshaus, vielleicht ein Fenster in einem Hochhaus. Das Foto ist unscharf, verwackelt, schlecht. Es ist in einem Maße trostlos, dass Stella übel wird, eine Übelkeit zwischen Angst und Zorn. Was hat dieses Foto überhaupt in ihrem Briefkasten zu suchen und in ihrer Hand. Warum muss sie sich Gedanken über ein solches Foto machen, über den persönlichen Schrecken eines Fremden? Stella steht mit dem Foto vor dem Schuppen, dreht sich um und sieht über den Garten auf die ausgestorbene Straße hinaus. Mittagszeit. Kein Schatten, keine Vogelstimme, kein Mensch. Sie möchte das Foto in Schnipsel zerreißen, sie muss es aber Jason zeigen, sie muss es weitergeben, unbedingt abgeben, sie hat das heftige Bedürfnis, sich die Hände zu waschen. Der Schuppen ist stickig und dunkel. Der Schuhkarton unter der Werkbank hat ein deutliches Gewicht.

Am Abend sitzt Stella an Avas Bett, bis Ava eingeschlafen ist. Avas Atem fällt von Seufzern, fragenden Lauten in einen langsamen Rhythmus, dem Stella lange zuhört. Atmen, als gäbe es auf dieser Welt nichts zu befürchten. Avas fester Griff um Stellas Hand wird weich, dann lässt sie los, dreht sich zur Seite und streckt die Beine aus. Stella schiebt das Fenster hoch und macht das Licht im Globus an, geht auf Zehenspitzen aus dem Zimmer. In der Küche summt das Radio, tropft der Wasserhahn, steht der Rest vom Abendbrot noch auf dem Tisch. Stella lehnt eine Weile mit verschränkten Armen an der Tür zum schon dämmrigen Wohnzimmer, dann geht sie in die Küche, zurück ins Wohnzimmer, in den Flur und endlich in Jasons Zimmer, sie setzt sich an Jasons Schreibtisch und schaltet den Rechner ein. Sitzt da und sieht zu, wie der Bildschirm hell wird, dann gibt sie das Wort *stalking* in das Suchfeld ein, Buchstabe für Buchstabe.

to stalk – hetzen, jagen, steif gehen, stolzieren
obsessives und unnormal langes Muster von Bedrohung durch Belästigung, gegen ein bestimmtes Individuum gerichtet
Verhaltenskonstellation, in der eine Person der anderen wiederholt unerwünschte Kommunikation und Annäherung aufzwingt, das Verhalten tritt mehrmals auf, es wird als unerwünscht und grenzverletzend wahrgenommen und kann Angst und Beklemmung auslösen
um als Stalkingopfer kategorisiert zu werden, müssen mindestens zwei verschiedene, die Privatsphäre verletzende Verhaltensweisen berichtet werden, wobei diese durchgehend mindestens acht Wochen andauern und Angst auslösen müssen

Es ist fast komisch. Was soll sie mit solchen Sätzen anfangen. Liebeswahn, Spiegelung, Psychoterror. Person. Stolzierende Person. Grenze. Grenzwahrnehmung, Grenzverletzung. Stellas Fingerspitzen fühlen sich taub an. Sie möchte ein eiskaltes Bier trinken. Eine Zigarette rauchen. Ein Buch aufschlagen. Schlafen gehen.

Hat Jason dasselbe gelesen wie sie?

Ich habe darüber gelesen, Stella kann Jasons Stimme hören. Sie schaltet den Rechner aus, lehnt sich zurück und bleibt in Jasons plötzlich beunruhigender Atmosphäre sitzen; seine Post, seine Brille, seine Bleistifte, Bleistifte der Stärke 6B, mit dem Cuttermesser angespitzt und mit einer silbernen Schutzhülle versehen. Fotos über dem Schreibtisch an der Wand, Stella am Morgen, ein alter Lada Niva, Ava auf dem Bauch liegend mit erhobenem Köpfchen, einem Spucketropfen am Kinn, und ein Foto einer Trabantenstadt am Fluss, von der einzigen Reise, die Stella und Jason zusammen gemacht haben, einer Reise vor Avas Geburt. Was bedeutet die Auswahl dieser Fotos. Und was bedeutet die Tatsache, dass gar nicht Jason sie sich ansieht, sondern Stella. Was bedeutet Jasons Abwesenheit.

Stella legt den Kopf schief und sieht sich das Foto der Trabantenstadt lange an. Unzählige Balkone über- und nebeneinander, die Flusswiesen schlammig, das Wasser glänzend, Jason hatte gesagt, hier möchte ich mit dir leben. Der Tag war verregnet gewesen, sie waren Hand in Hand gegangen, Stella war schwanger und hatte nichts davon gewusst. Sie sind nicht in die Siedlung am Fluss gezogen. Sie sind in eine andere Siedlung gezogen, in diese, und irgendwann werden sie weiterziehen. Mister Pfister bleibt hier. Er wird hierbleiben, er wird nicht weiterziehen, so wird es sein.

Stella zählt im Kopf die Tage. Fünfundzwanzig – von acht Wochen ist nicht mal die Hälfte um. Sie steht vom Schreibtisch auf. Dann geht sie aus dem Zimmer.

12

Jason kommt mit der Kälte wieder. Landregen und böiger Wind, er steht, vom kurzen Weg aus dem Auto durch den Garten schon durchnässt, im Flur und schiebt seine Tasche, seinen Rucksack, mit dem Fuß ins Haus.

Da bist du, sagt Ava.

Sie bleibt am Küchentisch sitzen und malt ihr Bild weiter, ein Haus im Wald, von Riesenschmetterlingen umschwirrt, sie malt einen endlosen Schmetterlingsfühler, und Jason packt sie und hebt sie hoch. Er sagt, du bist ja wie eine Katze, du tust nur so, als wenn du dich nicht freuen würdest, und Stella sieht, wie Avas Kinn vor Freude zittert.

Jason hat einen selbstgefangenen Barsch mitgebracht. Er hat ein geschnitztes Zepter aus Birkenholz für Ava mitgebracht und einen Seekieselstein für Stella. Er ist braun und sieht verwildert aus, unrasiert, wie kratzig du bist, sagt Ava, und Stella möchte einen eigensüchtigen Moment mit Jason ganz alleine sein.

Ihr seid groß geworden, sagt Jason. Ihr seid wie die Verrückten gewachsen, alle beide.

Wie die Verrückten.

Ava stellt sich an den Türrahmen in der Küche, und Jason zieht mit dem Bleistift einen neuen Strich über ihr Köpfchen, ein Meter und drei Zentimeter, Ava ist seit dem letzten Strich, einem Strich im Winter, im lange vergangenen Januar, zwei Zentimeter gewachsen. Sie bleibt im Türrahmen stehen und sieht sich den Strich an, stolz und zweifelnd.

Wie lange wirst du bleiben, sagt Stella. Wann musst du wieder los, sie dreht sich weg, bevor Jason antworten kann.

Sie essen am Abend den Fisch. Das Licht schwindet aus dem Tag, der Regen fällt vor dem Küchenfenster wie eine Wand. Die Tonne an der Hausecke läuft voll und dann über, der Regen trommelt auf die Fensterbleche, gegen das Fensterglas. Jason badet. Ava setzt sich zu ihm. Stella trocknet das Geschirr ab und hört ihren Stimmen zu, Jasons Geschichten von Barschen, untergegangenen Booten, von Reisen und vom Sommer, Avas Fragen.

Als du weg warst, war's hier ganz heiß. So heiß. Im

Kindergarten haben wir alle nur im Schatten gespielt, keiner wollte in die Sonne gehen.

Du musst es machen wie die Hühner, wenn es so heiß ist.

Was machen denn die Hühner dann?

Ein Huhn legt sich ganz flach auf den Boden. So flach, wie es geht, mit ausgebreiteten Flügeln. Es legt sich mit ausgebreiteten Flügeln in den Staub.

Ava schweigt. Dann sagt sie, wir dürfen das nicht. Im Kindergarten. Wir dürfen uns bestimmt nicht in den Staub legen, und Stella kann Jasons abwesendes Lachen hören. Sie klemmt Avas Bild unter den Magneten an den Kühlschrank. Sie packt Jasons Tasche aus, legt das Buch, in dem er zu lesen vorgibt, auf die unterste Stufe der Treppe – er wird es mit hochnehmen später, das Buch auf dem Nachttisch wird ein Zeichen für seine Anwesenheit sein –, und sie empfindet die Freude darüber als rätselhaft und schwierig. Sie macht die Haustür auf und sieht eine Weile in den jetzt flüsternden Regen raus. Jasons Auto steht in der Auffahrt, das ist das Zeichen seiner Anwesenheit nach außen, es ist alles viel zu einfach. Mister Pfister wird heute Nacht nicht klingeln. Wenn dieses Auto vor dem Haus steht, wird er sich mit etwas anderem beschäftigen, und die Dinge, die für Stella bestimmt sind, wird er sammeln und zueinanderlegen. Er wird sie für Stella aufheben.

Sie holt den Karton am dritten Abend aus dem Schuppen. Der Garten ist, überwältigt vom Regen, eine fruchtbare, üppige Wildnis. Geißblatt, blühender Ginster; das Gefühl, eigentlich etwas anderes tun zu wollen und nicht zu wissen – was, und stattdessen diesen Karton aus dem dreckigen Dunkel unter der Werkbank hervorzuholen, ist wie ein Symptom. Stella trägt den Karton über die Wiese ins Haus. Sie will ihn auf den Küchentisch stellen und überlegt es sich dann doch anders, sie stellt ihn auf den Boden, vor Jasons Füße, überlässt es Jason, den Deckel aufzumachen.

Sie sagt, Vorsicht.

Jason sagt, lieber Himmel.

Er sitzt über den Karton gebeugt. Hebt Dinge auf und lässt sie wieder fallen. Das Feuerzeug, die Rolle Paketschnur. Er macht den roten Umschlag auf, den Stella nicht geöffnet hat, holt ein engbeschriebenes Blatt Papier heraus, lehnt sich zurück und liest.

Was steht drin, sagt Stella.

Kannst du dich einen Moment gedulden, sagt Jason. Er sagt, bitte.

Dann sagt er, nichts Schlimmes. Es steht nichts Schlimmes drin. Aber was – Krankes, nicht zu verstehen, Schwachsinn eben, Jason sagt es, als wäre die ganze Welt zusammengehalten von Schwachsinn, als wäre der Schwachsinn ein Lebensprinzip.

Er sagt, du kannst es ruhig lesen.

Er hält Stella das Blatt Papier hin, ein wenig zu dicht vor sie hin, Stella wehrt ihn ab.

Ich will's nicht lesen.

Sie sieht Jason an und fragt sich plötzlich, ob es nicht doch möglich wäre, Mister Pfister zu verstehen. Für Jason vielleicht unmöglich, für sie aber möglich? Sie versteht Dermot, sie versteht Julias endgültiges Schweigen, sie versteht Esthers Gereiztheit und Walters undeutliches Sprechen, sie versteht doch dieses und jenes, vielleicht sollte sie sich einfach auf Mister Pfisters Gedankenwelt einlassen? Auf die Andeutungen, auf den Chor der Stimmen, der aus dem Karton heraus zu vibrieren scheint. Auch aus Gründen der Strategie. Um zu wissen, wie Mister Pfister tickt, wie er funk-ti-o-niert.

Aber sie sagt, ich will nichts davon lesen. Gar nichts. Ich will nur wissen, dass nichts über Ava drinsteht. Nichts, was irgendwas ankündigen würde, verstehst du? Eine Drohung, ein Eingriff, etwas, was über das hier hinausgehen würde.

Das hier. Eine Handbewegung über den Karton hinweg.

Steht nichts über Ava drin, sagt Jason. Er liest, während er das sagt, er liest das Blatt mit der Ameisenschrift, er schüttelt den Kopf beim Lesen, er sagt, ekelhaft, irgendwas daran ist ekelhaft. Wahrscheinlich ist es gut, dass du's nicht lesen willst. Es steht nichts über

Ava drin und nichts über dich. Nicht wirklich was über dich.

Was wäre denn ein Satz über mich, denkt Stella. Ein Satz über mich, der für dich gelten würde, und die Unmöglichkeit, auf diese Frage eine Antwort zu finden, ist eindeutig und krass. Sie denkt, für Jason bin ich tatsächlich ein Fabelwesen. Ein Fabelwesen. Es gibt gar nichts, was er wirklich über mich sagen, keine Beschreibung, die für mich gelten könnte.

Stella steht auf. Jason hat jetzt das Foto in der Hand und betrachtet es mit bedenklichem Gesichtsausdruck. Er sagt, meine Güte. Das reicht dann auch, oder.

Er hält das Foto hoch, er zeigt es Stella, als nähme er an, sie hätte es noch nicht gesehen. Er sieht Stella an, er sieht, dass sie blass ist, aber sie scheint nicht blass genug zu sein, als dass er sie berühren, anfassen würde.

Er sagt, ich geh da vorbei. Morgen. Morgen gehe ich rüber.

Er sagt, du warst jetzt doch schon da, oder was. Bist bei ihm vorbeigegangen, oder was.

Nein, sagt Stella. Natürlich bin ich nicht bei ihm vorbeigegangen.

Soweit sie sich erinnern kann, ist das das erste Mal, dass sie Jason belügt.

13

Jason bringt Ava mit Stellas Fahrrad in den Kindergarten. Er kommt zurück, verbringt eine Stunde an seinem Schreibtisch, sieht seine Post durch und telefoniert bei geschlossener Tür. Er stellt den Gartenstuhl an den Rand der Wiese und setzt sich mit dem Rücken zum Haus.

Er fährt sich mit der Hand vom Nacken aus über den Kopf, eine Geste die Stella liebt, ohne dass sie ihm das jemals gesagt hätte. Sie nimmt an, dass er, würde sie ihm das sagen, diese Geste nicht mehr machen würde.

Sie sitzt an ihrem Schreibtisch oben im Zimmer und schreibt einen Brief an Clara – *der ganze Garten riecht wie ein Gewächshaus, und abends trauen sich die Hasen aus dem Feld hervor, Jason ist zurück, ich lebe wie eine Kriegsbraut, weißt du nicht, wie ich mich fühle? Wie lebst*

du, und wie weit ist dieses Leben entfernt von dem Leben,
das wir uns vor zehn Jahren vorgestellt haben, und spielt
das überhaupt eine Rolle –, sie kann Jason unten in der
Küche hören, die Kühlschranktür klappt auf und wieder zu, er rückt die Stühle an den Tisch und räumt
die Geschirrspülmaschine ein, die Stella nie benutzt,
er stellt sie an, dann fegt er den Wintergarten aus. Er
bringt die Wasserkästen raus und stellt sie neben
dem Auto ab, geht zurück in den Flur, schließt die
Haustür hinter sich, steht im Flur und macht nichts,
vielleicht blickt er durch das kleine Fenster in den
Garten. Er geht durchs Wohnzimmer zurück in die
Küche und scheint an Stellas Sessel, an den Büchern
um den Sessel herum innezuhalten, wenn er aufmerksam wäre, würde er sehen können, dass Stella
seit zwei Wochen nicht mehr in diesem Sessel gesessen, seit zwei Wochen nicht mehr richtig gelesen hat,
der Bücherstapel ist ganz und gar vernachlässigt, wie
aufmerksam ist Jason eigentlich, und welches Buch
versucht Stella gerade und trotz allem zu lesen, *ich*
versuche, ein Buch von einem Schriftsteller zu lesen, in dem
tatsächlich Sätze stehen wie: Ein Liebender geht wie ein
Anarchist mit einer Zeitbombe durch die Welt. In der Küche gibt es nichts mehr zu tun. Jason räuspert sich,
das hat etwas Warnendes. Dann kommt er endlich
die Treppe hoch, bleibt vor Stellas Tür stehen und
sagt, störe ich dich.

Nein, sagt Stella.

Sie legt den Stift aufs Papier, dreht sich zu ihm um.

Jason sitzt auf dem Gästebett, mit dem Rücken an die Wand gelehnt, die Beine übereinandergeschlagen, ein seltener Besucher. Stella bleibt am Schreibtisch, sie empfindet es plötzlich als seltsam, Jason in ihrem Zimmer zu sehen, umgeben von den Dingen, die ihr gehören: auf dem Bett, auf dem sie vor zehn Jahren in der Wohnung mit Clara Mittag für Mittag in einen haltlosen Schlaf gefallen ist, unter dem Bord an der Wand, auf dem ein Kardinalsvogel aus Porzellan neben einer Schneekugel, einem goldenen Buddha und einer Reihe von Steinen aus dem Schwarzen Meer steht; Stellas Bücherregal, Stellas Schreibtisch, ihre Stifte und Kerzen, für Jason sicher alberne Räucherstäbchen, die Perlenketten am Stuhlbein, die Vogelfeder an der Wand und seit zwei Wochen das orangene Tuch im Fensterrahmen festgeklemmt und um den Fenstergriff geknotet, ein orangenes Tuch mit weißen Pfauen darauf. Stella vermutet, dass Jason irgendwann einmal einen Kontakt hergestellt hat, einen Kontakt zu alldem, zu Stellas Welt. Wie eine Expedition, vielleicht war das auch mühsam. Ist er, auf ihrem Bett, zurückgelehnt, die Arme vor der Brust verschränkt und die Augen fast geschlossen, jetzt angekommen? Möchte er bleiben, oder möchte er weiter, oder wieder zurück, woandershin. Stella sieht Jasons für sie schönes und unnahbares Gesicht. Sie hat das Gefühl, dass sie an seinen Bewegungen, wohin auch immer sie führen werden, vor oder zurück, nichts ändern kann, und erstaunlicherweise ist das auszuhalten.

Ich geh mal rüber, sagt Jason.

Er richtet sich auf, reibt sich die Augen.

Er sieht Stella an, er sieht genau an ihr vorbei, er sagt, ist das in Ordnung? Ich würde dann einfach noch mal rübergehen.

Ja, sagt Stella. Sie lächelt auf eine Weise, die ihr selber fremd ist. Sie möchte sagen, es tut mir leid, aber sie hat das Gefühl, dass dieser Satz das Ausmaß dessen, was ihr leidtut, nicht erfassen kann, eigentlich weiß sie auch gar nicht, was genau ihr leidtut. Ist es eine Zumutung für Jason, mal rüberzugehen? Sich mit Mister Pfister zu beschäftigen, weil sie sich mit ihm beschäftigen muss?

Besser wäre, er würde hierbleiben. Bei ihr bleiben.

Bis gleich also, sagt Jason.

Bis gleich, sagt Stella.

Sie wartet im Garten. Auf dem Stuhl, auf dem Jason gesessen hat. Es wird warm, der Mittag ist sehr still. In einem der anderen Gärten geht ein Rasenmäher an, und weit weg ruft ein Kind. Aus der Wiese stieben

Falter, der Himmel ist grau. Jemand fährt auf dem Rad am Haus vorbei. Stella gähnt.

Nach einer Weile kommt Jason zurück. Er sagt, er war nicht da. Oder er hat nicht aufgemacht, das kann auch sein, aber ich glaube, er war nicht da. Was für eine verwahrloste Hütte.

Jason sieht sich um, sieht sich sein Haus an, als würde er vergleichen. Die Außenwirkung eines Fensters, auf dessen Rahmen zerbrochene Muscheln liegen. Leergut vor der Terrassentür, Avas Jacke über den Spatenstiel gehängt.

Stella sagt nichts.

Sie sagt auch nicht, ich wusste, dass er nicht da sein würde. Es war klar, dass er nicht da sein würde.

Mister Pfister wird nie da sein, wenn Jason mal rüberkommt. Er ist nicht für Jason zuständig, er wird nie zu Hause sein, Jason nie die Tür aufmachen.

Aber als sie am nächsten Tag einkaufen geht, begegnet sie ihm. Am frühen Abend, im Center, an der Kasse im Supermarkt. Sie ist mit dem Fahrrad da, sie möchte Milch, Eier, Buchstabennudeln, Butter kaufen, mehr nicht, sie hat sich für den Einkaufskorb statt für den Wagen entschieden, läuft an den Kassen vorbei zum Drehkreuz, durch das man in den Markt gelangt, und sieht Mister Pfister an der letzten Kasse stehen.

Kaum zu glauben, dass er einkaufen geht. Hunger hat, sich was zu Essen kaufen will. Bitte und Danke sagt, Guten Tag, Auf Wiedersehen.

Stella sieht ihn zum ersten Mal draußen. Im Alltag, Schlange an der Kasse neben dem Zigarettenautomaten unter dem Monitor, auf dem der Wetterbericht mit der Reklame für Autolackierwerkstätten wechselt, im Hintergrund das Labyrinth der Einkaufsregale, Pyramiden aus Wassermelonen, Verweise auf Produkte und über alldem eine Höllenmusik – da steht er. Hat die Dinge, die er kaufen möchte, in einem Pappkarton zusammengestellt, er hält den Pappkarton vor der Brust, rückt in der Schlange einen mechanischen Schritt nach vorne, einer wie alle, Mister Pfister existiert.

Stella bleibt fast andächtig stehen. Sie denkt erstaunt, ich habe nicht für möglich gehalten, dass es ihn gibt. Aber es gibt ihn. Es gibt ihn doch. Hier ist er, er ist hier.

Sie erkennt ihn an seiner Haltung, an seinem Ausdruck, sie ist sich sicher und trotzdem überrascht, wie jung er ist, wie hübsch und wie müde. Er trägt einen schwarzen Kapuzenpullover. Keine Jacke mehr, trotz der frühabendlichen, frühsommerlichen Kälte. Sie kann nicht sehen, was in seinem Pappkarton drin ist, was er kauft. Er macht noch einen Schritt vor und stellt den Pappkarton aufs Förderband, dann schaut er auf, vielleicht weil er spürt, dass er angesehen wird. Sein Blick geht suchend über die Leute hin. Trifft Stellas Blick.

Mister Pfister sieht sie an.

Stella sieht Mister Pfister an, sie denkt, spürst du das, der ganze Weg, den man zum anderen hin auf sich nehmen kann, ist ja in diesem Blick. Der Weg hin, der Weg zurück auch.

Zorn, Höflichkeit, noch was anderes.

Stella will nahezu lächeln. Sie hält den vorwärtsstürzenden, kindlichen Impuls des Lächelns mühsam zurück. Sie will beinahe grüßen, das Erkennen ist so heftig, dass es liebenswürdig scheint, wir kennen uns doch, guten Tag. Aber es ist nicht nötig, Mister Pfister zu grüßen, er weiß, dass sie ihn erkannt hat, dass sie ihn kennt. Er lächelt auch kein bisschen. Er lächelt, genau genommen, gar nicht. Stattdessen wird er warten. Er wird draußen vor der Tür auf sie warten, um das zu beginnen, was hier die ganze Zeit eingefordert wird: ein Gespräch.

Vielleicht wird das leicht sein, trotz allem kann das einigermaßen leicht sein. Stella könnte sagen, lass das sein, hörst du mich. Verstehst du, lass das Klingeln sein, die ganze Post, hör einfach auf, bei uns vorbeizukommen, gib es auf. Gib auf, so könnte sie das sagen.

Stella lässt Mister Pfisters Blick los. Möglicherweise

hat er ihren Blick schon vorher losgelassen. Wie lange haben sie sich angesehen? Durch kein Fenster, kein Gartentor, keinen Zaun voneinander getrennt.

Stella geht durch das Drehkreuz in den Markt, sie sieht sich nicht noch einmal um. Sie kauft Milch, Eier, Buchstabennudeln, Butter, das, was sie kaufen wollte, nichts mehr, nichts weniger, aber sie hat es eiliger als sonst, sie ist hastig. Sie hetzt durch die Gänge, fühlt sich vollständig verspannt, und als sie um das letzte Regal vor der Kasse biegt, das Regal für Brausepulver, Schokolade und Bonbons, vor dem Ava immer ewig stehen bleiben möchte, ist Mister Pfister schon weg. Er hat sein Zeug, das Stella gern gesehen hätte, und sie weiß, dass Jason diese Neugier widerlich finden würde, bezahlt und ist schon draußen, er ist schon mal losgegangen; was will Stella eigentlich wissen, und wie weit darf sie diese Frage dehnen.

Sie stellt ihre Dinge aufs Band. Ihr Herz schlägt jetzt ruhiger; zwischen dem Zählen des Wechselgeldes taucht die Ahnung einer bevorstehenden Enttäuschung auf.

Schönen Feierabend.

Ihnen auch.

Der Parkplatz vor dem Markt ist verlassen. Stellas Gesicht ist heiß. Mister Pfister ist nicht zu sehen. Mister Pfister ist sein Bedürfnis, sein glühender Wunsch, mit Stella zu sprechen, abhandengekommen. Das ist verletzend und erleichternd zugleich. Aber warum? Warum möchte er nicht mehr mit Stella sprechen, was hat sich denn verändert, ist verlorengegangen. Der lange Blick zwischen ihr und ihm wird erst fragwürdig und dann beschämend. Stella packt den Einkauf in den Fahrradkorb. Sie denkt, vielleicht bin ich in diesen Wochen noch älter geworden, und darüber muss sie zumindest ein wenig lachen. Sie schiebt das Rad über den Parkplatz, die Hauptstraße, den Waldweg entlang, an den ersten Häusern der Siedlung vorbei, sie geht auf der linken Seite des Weges, und als ihr Haus auftaucht, die Jasminhecke, der Zaun, Jasons Auto in der Auffahrt, das Fenster im Giebel offen, sieht sie Mister Pfister am Gartentor stehen. Sie ist noch ein ganzes Stück vom Haus entfernt, aber sie sieht ihn deutlich, er klingelt, wartet nicht, wendet sich ab und geht weiter, ruhig und gemessen die Straße runter, nach Hause.

Stella, die Hände fest um den Lenker des Rades, bleibt stehen. Sie kann das nicht glauben. Mister Pfister hat an ihrer Tür geklingelt, obwohl er weiß, dass sie nicht zu Hause ist. Anscheinend weiß er auch, dass Jason und Ava nicht zu Hause sind, Jason und Ava sind auf dem Kinderfest im Gemeindehaus, Stella hat dafür Zitronenkuchen gebacken und ihnen, vor dem Haus stehend, hinterhergewinkt, bis sie nicht mehr zu sehen waren. Mister Pfister kann vor dem Center nicht auf Stella warten, aber vor ihrem Haus muss er stehen bleiben, sie kann das als einen Tick verstehen, einen Zwang, es ist einfach unmöglich für Mister Pfister, an ihrem Haus vorbeizugehen, ohne zu klingeln. Egal, ob Stella da ist. Scheißegal. Sie kann es aber auch so verstehen – Stella gibt es gar nicht. Die Stella, die Mister Pfister meint, gibt es nicht, sie hat jedenfalls mit Stella nichts zu tun. Mister Pfister hat sie erkannt, aber er meint sie gar nicht – diese Stella, die nach Feierabend in flachen Sandalen und mit einem müden, ungeschminkten Gesicht einkaufen geht, angespannt, hektisch und offenbar bedürftig, diese Stella interessiert ihn nicht. Mister Pfister interessiert sich für Stella in ihrem verschlossenen Haus. Für ihr Gesicht hinter der kleinen Scheibe neben der Tür, ihre entfernte Gestalt im Stuhl am Rand der Wiese weit weg hinten im Garten, für die wartende Stella am Schreibtisch oben in ihrem Zimmer. Diese Stella meint Mister Pfister. Eine imaginierte Stella. Seine.

Stella begreift, dass sie dagegen nichts tun kann. Sie kann Mister Pfister diese andere Stella nicht nehmen.

Sie sieht ihm hinterher, seiner jungenhaften Gestalt, er hat sich die schwarze Kapuze über den Kopf gezogen, es sieht wie eine Rüstung aus. Sie rollt ihr

Rad langsam vorwärts, bis er, an all den Häusern vorbei, die sie jetzt kennt, vor seinem eigenen Haus angelangt ist. Sie wartet, bis er im Garten verschwunden ist, und sie weiß, dass er weiß, dass sie ihn sieht.

14

Ich möchte dir was zeigen, sagt Jason.

Er nimmt Stella an der Hand und geht mit ihr aus dem Haus, sie gehen Hand in Hand zum Gartentor, später wird Stella dieses Hand-in-Hand wie einen Verrat empfinden. Jason macht das Tor auf und tritt mit Stella auf die Straße raus. An ihrem Ende lässt sich ein großer Schwarm Vögel auf dem Trottoir nieder, der Wind ist hoch oben in den Bäumen, die Kiefern am Waldrand knarren. Stella spürt eine unmäßige, lastende Trauer, eine Sehnsucht nach einem anderen Leben oder einem Leben, das sie einmal hatte, welches Leben genau, sie kann sich nicht erinnern.

Jasons Hand ist trocken und warm. Sie ist das Vertrauteste an Jason.

Er bleibt vor dem Gartentor stehen, lässt Stella los und sieht sie an. Sie soll was begreifen, das er schon lange begriffen hat, etwas an dieser Situation ist wie ein Déjà-vu. Aber Stella begreift nicht. Jason berührt sie an der Schulter, er dreht sie zum Haus zurück und wartet, dann deutet er auf den Briefkasten, er deutet dahin. Auf dem Briefkasten steht unter Stellas und Jasons Namen ein dritter Name, ordentlich und so wie ihre direkt mit weißem Stift auf das Blech des Kastens geschrieben, aber in einer anderen, einer eigenen, femininen Schrift.

Mister Pfister.

Nicht anfassen, sagt Jason überflüssigerweise.

Er sagt, hast du irgendeine Ahnung, wie lange das schon da dransteht? Siehst du irgendwie noch durch?

15

Ava hockt im Sandkasten und spricht mit sich selber. Sie flüstert, schüttelt streng das Köpfchen, macht leise, schnalzende Geräusche mit der Zunge, die sie von den Tanten im Kindergarten haben muss. Sie hat Gegenstände auf dem Holzbrett des Sandkastens ausgebreitet, sie bietet sie an.

Eine Aprikose.

Ein kleines Auto.

Ein Stift, eine Muschel, ein Schekel, eine Münze.

Ava schiebt die Gegenstände auf dem Brett hin und her, sie ordnet sie um, dann kehrt sie zur ersten Ordnung zurück.

Sie sagt, du kannst die Aprikose kaufen, oder du nimmst die Muschel. Du kannst dir auch aus der Muschel eine Kette machen. Das hier ist das Auto. Papas Auto aus seiner Kindheit. Ein sehr altes Auto. Alt.

Sie stellt den Eimer umgedreht auf das Brett und

das Auto auf den Eimer. Sie kommt aus dem Sandkasten raus und geht zum Feldrand rüber, sie prüft und
überlegt gründlich, dann knickt sie eine Schafgarbe
ab, einen Klatschmohn und eine Kamille, sie bindet
einen struppigen Strauß und legt ihn auf das Brett
neben die Aprikose.

Sie sagt nachdenklich, ich hab Durst.

Sie sagt, im Kindergarten war heute einer, den
keiner kannte. Keiner kannte den. Der hatte einen
schwarzen Pulli mit Kapuze an, er hat auch zu mir
gesagt, ich soll dich grüßen, Mama. Ich hab nichts
gesagt. Kennen wir den? Hast du den auch schon mal
gesehen?

16

Als *Stella Esthers* und Walters Schlüssel aus dem Büro holt, macht Paloma ihr, den Hörer am Ohr, ein Zeichen zu warten. Sie winkt mit dem Zeigefinger, deutet auf den Platz vor ihrem Schreibtisch.

Stella kocht Kaffee, während Paloma telefoniert. Sie hört Palomas ungerührter, kühler Stimme zu. Wenn die Familie sich nicht auf das Pflegepersonal verlassen will, müssen wir das Verhältnis beenden. Sie unterschätzen Ihre Mutter. Sie unterschätzen die Fähigkeiten Ihrer Mutter, die zerebralen Fähigkeiten alter Leute im Allgemeinen.

Paloma lauscht in den Hörer hinein und lächelt gehässig. Der Wasserkocher rauscht auf und schaltet sich aus. Der Geruch vom Instantkaffee ist fein und künstlich, er erinnert Stella zuverlässig an Campingplätze, Nächte in Zelten, Aufwachen am Meer, er erinnert sie nie und wird sie auch später nicht an Palomas Büro erinnern. An die Postkarten über Palomas Schreibtisch, die statische Stille dieser Jahre.

Sie nimmt sich einen Becher mit einem Tiger drauf und für Paloma einen Becher mit der Aufschrift *destroy something*. Sie wartet, dann gießt sie das Wasser auf zwei Löffel Kaffee, rührt Kaffeeweißer dazu, sie stellt Paloma ihren Becher neben das Telefon.

Paloma sagt, denken Sie drüber nach. Alles Gute so weit, melden Sie sich, wenn Sie sich entschieden haben, sie schneidet eine entsetzliche Grimasse, dann legt sie den Hörer auf und dreht sich zu Stella um. Sie sagt unvermittelt, heute früh war einer hier. Stand vor dem Büro, als ich kam, hat möglicherweise schon eine Weile gewartet. Er fragte nach Personal. Nach einer Pflegerin für seine Mutter. Er fragte nach dir.

Was hast du gesagt, sagt Stella. Sie hat das Gefühl, zu fallen, vorneüber, auf Paloma zu.

Also, er fragte nach deiner Telefonnummer, sagt Paloma langsam. Wegen des Kontaktes, er wollte deine Nummer haben.

Paloma sieht Stella lange an. Dann sagt sie, ich hab sie ihm natürlich nicht gegeben. Ich hab gesagt, das läuft über mich, der kann sich hier sowieso kein Personal aussuchen.

Ja, sagt Stella.

Paloma sagt, Stella, ich bin mir nicht sicher. Das war ein ziemlich merkwürdiger Typ, und er sah nicht aus wie einer, der sich um seine kranke Mutter kümmern will. Er sah gestört aus, um es mal so zu sagen, wie es war. Ich hab ihm gesagt, wir seien ausgebucht. Wir hätten keine freien Arbeitskräfte. Junger Mann in schwarzem Kapuzenpullover, hübsch eigentlich, fertig eben, weißt du, wer das gewesen sein könnte?

Nein, sagt Stella. Weiß ich nicht. Keine Ahnung.

Sie muss zusehen, dass sie hier rauskommt, bevor sie zu weinen anfängt, sie muss wirklich zusehen, dass sie um die Ecke biegen, den Fisch machen kann.

Sie sagt, o. k. Paloma. Ich muss jetzt los, Esther wartet, ich muss gehen. Ich komme nachher wieder, vielleicht bist du dann noch da.

Ich bin noch da, sagt Paloma. Natürlich bin ich dann noch da. Warum machst du dir Kaffee, wenn du gleich gehen musst. Warum bist du bleich wie die Wand. Stella. Was ist mit dir los?

17

Stella versucht, nicht an Mister Pfister zu denken. Sie versucht, ihn umzubringen, indem sie nicht an ihn denkt, ihn aus ihrem Haus rauszukriegen, indem sie nicht an ihn denkt. Es ist unmöglich.

Sie wacht bei Tagesanbruch auf; in den Halbschlaf treten die Koordinaten der Tage.

Ava.

Das Haus in der Siedlung am Rand der Stadt, das Zimmer unterm Dach, das Bett mit dem Fenster zur rechten, der angelehnten Tür zur linken Seite, hinter der Tür der Flur, Avas Zimmer, Ava.

Jason. Anwesend, seine schmale, im Schlaf erstaunlich leichte Gestalt neben ihr; Jasons Abwesenheit, Jason ziemlich weit weg, und das Bett neben Stella ist leer.

Die Tageszeit, früh um sechs, und die Jahreszeit, Sommer.

Das Fenster steht offen, die Vogelstimmen sind vielfältig und vorsichtig.

Und Mister Pfister. Immer noch da.

Stella dreht sich auf die Seite und stellt sich vor, wie Mister Pfister aufwacht.

Er wacht in seinem Zimmer neben der Küche auf. Sie ist sich sicher, dass er nicht alle Räume seines Hauses bewohnt, dass ihn die vielen Räume seines Hauses überfordern. Er wird die Türen verschlossen halten, möglicherweise abgeschlossen, er wird nur selten die Treppe hochgehen in den ersten Stock. Er hat sich auf das Zimmer neben der Küche zurückgezogen, das Zimmer, das Stellas und Jasons Wohnzimmer entspricht. Das Zimmer ist dunkel, weil das Panoramafenster mit Filz verhängt ist. Mister Pfister wacht nicht vom Tageslicht und zu völlig unterschiedlichen Zeiten auf, manchmal im Morgengrauen, manchmal in der Nacht, auch am Nachmittag oder am frühen Abend, Zeit, denkt Stella, ist für Mister Pfister relativ. Es ist dunkel, wenn er aufwacht, es ist hell, es dämmert in den Tag oder schon wieder in die Nacht hinein, es regnet, schneit, dann geht die Sonne auf.

Mister Pfisters Zeit ist anders, tickt anders, es ist Stellas Zeit, die Mister Pfisters Zeit bestimmt. Gäbe es Stellas Zeit nicht – und Avas, Jasons –, dann gäbe es eine andere. Mister Pfister wacht auf und bleibt liegen, einfach so liegen mit geschlossenen Augen, und er hört um sechs Uhr am Morgen genau das Gleiche wie Stella – Vogelstimmen, fernes Rauschen des Verkehrs, Zuschlagen von Autotüren –, er hört etwas völlig anderes, darunter oder auch darüber, ein Netz, ein Gespinst von Stimmen, die Stella nicht hören kann, ein körperloses Gewisper.

Dann steht er auf.

Stella sieht zu, wie Mister Pfister aufsteht und in die Küche geht und den Wasserkocher anstellt. Er dreht sich eine Zigarette, während er darauf wartet, dass das Wasser kocht. Die Küche ist dämmrig. Auf dem Fußboden liegt ziemlich viel Papier, in der Schale in der Ecke am Fenster schlagen Zwiebeln leuchtend grüne Wurzeln in die Luft, wie Flammen, es sind viel zu viele Flaschen in dieser Küche, Bierflaschen, Weinflaschen, Gurkengläser, und unter den Papierstapeln gehen die wesentlichen Dinge verloren, Stifte, Tabakpäckchen, Feuerzeuge, Notizzettel, Anschauungen und Gedanken, das taucht dann aber alles wieder auf, da muss man sich gar keine Sorgen machen. Nichts geht verloren, alles dreht sich im Kreis.

Das Wasser kocht. Mister Pfister gießt heißes Wasser in einen schmutzigen Becher auf einen großen Löffel Kaffee, die Vorstellung des schmutzigen Bechers erfüllt Stella mit Genugtuung. Er trinkt seinen Kaffee schwarz, ohne Milch und ohne Zucker, woran erinnert Mister Pfister der Duft von Kaffee am Morgen, woran erinnert ihn das, ich will es gar nicht wissen, denkt Stella, wirklich, ich will es nicht wissen.

Mister Pfister macht sich zum Kaffee ein Bier auf. Er findet ein Bier zwischen all den leeren Flaschen, ein letztes Bier ist immer noch da. Die Zigarette knistert exaltiert. Alles ist heiß und kalt zugleich, hell und dunkel, leise und laut. Und das Papier liegt überall. Das Papier zieht sich aus der Küche ins Zimmer hinein, zusammengeknülltes Papier, engbeschriebenes Papier, karierte Blätter aus Schulblöcken zwischen Zeitungsstapeln, Heften, Kartons, Lagen von Packpapier, Wurfsendungen und Pappe, aber Mister Pfister schreitet durch all das wie übers Wasser, er schreitet ins Zimmer zurück und macht jetzt erstmal die Musik an, er gibt den Raum frei – das ist Bach.

Das Einzige, was du hören kannst.

Stella hat noch nie Bach gehört. Nicht bewusst Bach gehört, nicht auf diese Weise. Sie beschließt, nie Bach zu hören. Niemals.

Mister Pfister sucht einen Aschenbecher. Er kriecht auf allen Vieren durch den Raum und findet einen Aschenbecher aus Plastik. Der Kaffee ist pechschwarz, die Musik wird glasklar sein. Mister Pfister muss sofort ein zweites Bier trinken. Er ist auch krank, er fühlt sich krank, müde, erschöpft. Zuhören. Sich hinlegen, liegend zuhören, vom Bett aus zwischen den Papieren kramen, einen Bleistift finden und was aufschreiben, zwanghaft was aufschreiben, drei Worte nämlich:

Ausnahmezustand, Gedächtnis, Licht.

Alles Worte, die mit den Flügeln schlagen, denkt Stella. Vielleicht fühlt sich das so an, schreib sie auf, und sie halten still – *Widerstand, Geistesgegenwart, Station, Siebenunddreißig, Montag, Damals.* Es ist nicht so, dass das nur hässliche Worte wären, stumpfe Worte. Es sind schon Worte, die eine Ankündigung sein können, eine Überforderung. Oder eben eine Einladung?

Die Übergänge. Die Hunde. Die Verzweiflung.

Mister Pfisters Bleistift kratzt und krakelt über ein zerknittertes Papier und bricht dann ab. Mister Pfister ist von Zeit zu Zeit getragen von einer Welle der Selbstsicherheit, des Hochmuts und der grellen Zuversicht. Ein drittes Bier. Ein drittes Bier ist auch immer noch da, und zwischen all den Flaschen klirrt die Atmosphäre. Mister Pfister sollte mal was essen. Er muss sich vorher aber wieder hinlegen, möglicherweise schläft er auch noch mal ein, und wenn er zum dritten Mal aufwacht, steht da plötzlich ein Wecker auf dem Boden neben seinem Bett, ist es schon Nachmittag, höchste Zeit, der Wecker tickt ohrenbetäubend, jede Sekunde eine Detonation. Mister Pfister steht sofort auf und zieht sich an. Hose, Kapuzenpullover, Turnschuhe. Er tastet sich durch den Stapel von Zeug und Dreck auf dem Küchentisch, aus dem Stapel rutscht ein Foto raus, da sitzt er auf der Kante eines Bettes in einem Zimmer zu einer gänzlich anderen Zeit, dieses Foto muss er unbedingt loswerden, dieses Foto kann nicht einen Augenblick länger im System bleiben, es muss weg.

Mister Pfister steckt das Foto ein.

Verlässt sein Haus.

Schließt sorgfältig zweimal die Tür ab, schließt das Gartentor ab.

Er geht am Haus des Fahrradmechanikers vorbei. Der Fahrradmechaniker sitzt wie jeden Tag auf dem Klappstuhl vor der Tür, das Rad in seinen Händen dreht sich und sprüht Funken, die Funken sprühen in den dunklen, warmen Tag hinein. Dieser Fahrradmechaniker gehört Mister Pfister. Alles an diesem Haus, die kleine Werkstatt, die Räder, die goldenen Funken, das Licht und die Freundlichkeit gehören Mister Pfister, er wird das Stella später auch so sagen – du hast mit meinem Fahrradmechaniker gesprochen, und dafür wirst du bestraft. Bestraft. So wird er das sagen. Er geht die Straße runter, an dem Haus mit der Markise vorbei, die Markise ist zurückgezogen, nicht, dass das Mister Pfister interessieren würde, all das interessiert ihn überhaupt nicht. Er geht an den schweigenden Gärten vorbei, und am Ende der Straße kommt Stella um die Ecke gebogen, da kommt sie schon, sie ist schon da.

Mister Pfister weicht aufs Brachland aus. Er stolpert nach rechts weg, auf Schutt und Geröll.

Stella steigt vom Rad. Am Lenker des Rades hängen zwei Tüten. Dieses Kind sitzt im Kindersitz, es zeigt hierhin und dorthin. Stella lehnt das Rad an den Gartenzaun, stellt die Tüten ab, hebt dieses Kind aus dem Sitz und reicht ihm den Schlüssel, dieses Kind schließt umständlich das Tor auf und verschwindet im Garten. Stella schiebt das Rad hinterher, kommt zurück, um die Tüten zu holen, und erst jetzt, jetzt erst wirft sie einen Blick die Straße runter, in Richtung von Mister Pfisters Haus. Aber Mister Pfister ist ja mal eben zur Seite gegangen, scheißegal auch eigentlich, scheißegal, ob sie ihn sieht oder nicht, darum geht's ja gar nicht, darum geht es nicht.

Flammenderblick.

Abendbrot, Freitag.

Mister Pfister steht mit den Händen in den Hosentaschen und wartet. Hinter ihm, im Dickicht des Brachlandes, beginnen die Nachtigallen zu singen.

Leuchttürme. Morsezeichen. Ganz klar schließen sich die Bögen. Diese, jene. Mister Pfisters Gefühl schwankt, schwankt zwischen Hass und Liebe, Wut und Zuversicht, das ist ganz normal, das geht ja jedem so, es geht wirklich jedem so, da kann er mal ganz ruhig sein.

Und dann ist Abend.

In Stellas Haus, in diesen vielen Zimmern, in denen sie lebt und nachdenkt und schläft und isst und mit ihren Leuten redet, klappt die Hintertür zum Garten auf. Dieses Kind kommt herausspaziert.

Also gehen wir. Gehen wir.

Und Mister Pfister stößt sich ab und geht los. Auf Stellas Haus zu, er bleibt am Gartentor stehen, legt den Finger auf die Klingel, unter der ihr Name am Briefkasten steht, und unter ihrem Namen steht seiner: Mister Pfister, und er drückt auf die Klingel, so sehr er kann.

Er geht einen Schritt zurück und sieht sich das Haus an. Zum tausendsten Mal. Das Haus ist genau dasselbe Haus wie seines. Im Wohnzimmer ist niemand. Im Giebel steht das Fenster auf, weht die orangene Fahne raus. Dieses Kind hat sich versteckt. Der Garten ist wild und sehr üppig. Stellas Vorliebe für Königskerzen, Lupinen, ungemähtes Gras, Muscheln, Steine, die Vorliebe dieses Kindes für Stöckchen und Schrott.

Mister Pfister horcht. Er horcht noch einen Augenblick, bleibt noch einen Augenblick stehen in den Splittern der Atmosphäre, Stella, das Rad, das Hütchen dieses Kindes, das kirschrote Kleidchen, die Tüten, die zwischen Stella und diesem Kind gefallenen Sätze, Worte, Gesten, die Schlüsselübergabe, die Berührungen, dann tritt er zu.

Mister Pfister tritt das Gartentor auf, das macht er

jetzt einfach und zum allerersten Mal. Das Tor gibt nach, springt auf, schwingt in den Angeln, und der Garten wird endlich weit und hell, es wurde ja auch Zeit. Mister Pfister holt das Foto aus seiner Hosentasche raus, das grauenhafte, zerknickte Foto von dem Bett in dem Zimmer, *damals*, und er klappt den Briefkasten auf und lässt das Foto da hineinfallen, selbstverständlich wie in einen klaftertiefen Brunnen, wie denn wohl sonst, um Himmelherrgottswillen.

Niemand ist zu sehen.

Irgendwo tropft Wasser.

Morgen begegnen sie sich wieder.

Mister Pfister geht, lässt etwas hinter sich. Er geht nach rechts oder links, je nachdem, es gibt keine Regeln, nur wenig Regeln, die Regeln werden hier irgendwo anders gemacht.

Und Stella dreht sich in ihrem Bett um und setzt sich auf. Das ganze Zimmer riecht nach Wald, nach Kiefern und Sand. Sie sitzt auf der Kante ihres Bettes, die Hände zwischen den Knien wie Dermot auf einem Felsen am Wasser vor vierzig Jahren, und sie sieht durch das offene Fenster in den Morgenhimmel hoch. Auf diese Weise wird sie Mister Pfister nicht umbringen können. Diese Vorstellung hält ihn unbedingt am Leben. Diese Vorstellung ist mühsam und ekelhaft, und Stella empfindet Mitgefühl und das Gegenteil von

Mitgefühl, aber sie kann von dieser Vorstellung nicht lassen, es ist ihre Weise, sich zur Wehr zu setzen. Die Bilder kommen aus den Büchern, die sie gelesen hat, aus der Erinnerung an Menschen, die sie mal gekannt hat, und aus ihr selber, aus Stella ganz allein, es mag sein, dass all das nichts mit der Wirklichkeit zu tun hat. Dass Mister Pfister ein ganz anderer ist, möglicherweise jemand, der gar nicht krank oder anders krank ist, als sie sich das vorstellt; was sagt ihre Vorstellung eigentlich über sie aus? Möglicherweise trinkt Mister Pfister keinen Tropfen Alkohol. Telefoniert jeden Abend mit seiner Freundin, sitzt in einem sauberen Zimmer kerzengerade an einem aufgeräumten Schreibtisch, und Stellas Vorstellung ist naiv. Dumm. Aber sind sie sich dann nicht gleich, Stella und Mister Pfister? Ist das dann nicht etwas, was sie miteinander verbindet, trotz alledem.

Träume, wie Häutungen.

18

Stella nimmt das Rad mit hinters Haus. Sie dreht die Ventilkappe vom vorderen Reifen ab und öffnet das Ventil, sie hört, wie die Luft entweicht. Sie wartet eine Weile. Dann dreht sie das Ventil wieder zu, legt die Kappe aufs Fensterbrett und schiebt das Rad aus dem Garten.

Der Fahrradmechaniker sitzt auf seinem Klappstuhl neben einem Tischchen vor dem Haus in der Nachmittagssonne. Er trinkt Tee aus einer angeschlagenen Tasse, er hat sich gerade eine Zigarette gedreht und noch nicht angezündet, er trägt ein Hemd, das an vielen Stellen auf altmodische Weise gestopft ist, dreckige Hosen und feste Schuhe. Neben ihm, an der Hauswand, lehnen staubige Räder aneinander. Die Panoramafensterscheibe ist grün von gegen das Glas drängenden großen Pflanzen.

Möchtest du eine Tasse Tee.

Er wundert sich gar nicht über Stellas Erscheinen. Deutet auf die aneinandergelehnten Räder, sie stellt ihr Rad dazu. Er geht um die Hausecke, kommt mit einem zweiten Stuhl zurück, klappt ihn neben seinem Stuhl auseinander. Er sagt, eigentlich ist es schöner, nach hinten raus zu sitzen, aber das weißt du ja. Dann verschwindet er im Haus.

Stella setzt sich.

Auf dem Tischchen liegen Tabak, Zigarettenpapier, ein Aschenbecher, ein Adressbuch, eine Schachtel Streichhölzer mit einer Nelke darauf und ein Buch ohne Umschlag, dessen Rücken Stella nicht entziffern kann und das sie nicht umzudrehen wagt. Sie hört den Fahrradmechaniker im Haus herumgehen, in der Küche klappern, es ist eigenartig zu wissen, wo in seinem Haus die Küche ist, es ist auch eigenartig, vor dem Haus zu sitzen und auf die vertraute, zugleich neue Straße rauszusehen. Das Tor weit offen. Aus dem Bauschutt neben dem Zaun wachsen Löwenzahn und wilde Minze. Blumenwasser in Plastikflaschen. Ein verrosteter Tank zwischen diesem und Mister Pfisters Grundstück. Die Wiese um Mister Pfisters Haus herum ist trocken. Sein Haus sieht verlassen aus, geradezu grau.

Der Fahrradmechaniker stellt die Tasse Tee neben Stella aufs Tischchen. Der Tee ist klar und golden,

auch diese Tasse hat einen Sprung. Der Fahrradmechaniker setzt sich auf den zweiten Stuhl. Sie sitzen
nebeneinander und sehen auf die Straße raus, auf der
Straße schiebt ein buckliges, scharfäugiges Kind einen
Roller so langsam von rechts nach links am Tor vorbei, als hätte es ein Stichwort erhalten.

Ich arbeite hier nur für mich, sagt der Fahrradmechaniker. Das ist keine offizielle Werkstatt, ich arbeite
für mich.

Ich weiß, sagt Stella. Ich habe mir das gedacht.

Er nickt. Er sagt, dein Kind geht in den Gemeinde-
kindergarten, und du verschwindest immer im Gemeindehaus. Arbeitest du im Gemeindehaus.

Ich hole da Schlüssel ab, sagt Stella. Im Büro für
Hauskrankenpflege, das Büro ist im Gemeindehaus,
und ich hole die Schlüssel für die Wohnungen der Patienten da ab. Ich bin Krankenpflegerin. Ich arbeite für
Paloma.

Sie sprechen ein wenig miteinander. Sie versuchen
ein Gespräch, das, was Mister Pfister eingefordert
und Stella verweigert hat. Mit diesem Fahrradmechaniker, der sie selbstverständlich an Jason erinnert –
schmutzige Hände, schwarze und lebhafte Augen,
stille Anspannung des Körpers und eine bedrohliche
Höflichkeit –, spricht sie; woher kommt das wohl,
und was hat es zu bedeuten. Sie sprechen ein wenig
über den späten Frühling, alles hat gleichzeitig ge-

blüht, Flieder und Kastanie, ein Phänomen. Über den Winter, den der Fahrradmechaniker im Süden verbringt, weil er Frost nicht verträgt, er kommt erst zurück, wenn die Tage wieder länger werden. Über die alte Siedlung, er sagt, wenn der gehobene Anspruch der neuen Siedlung über die Straße komme, würde er gehen. Er spricht langsam, fast schläfrig, trotzdem präzise.

Hier gibt es eine Zeitschleife, ist dir das schon aufgefallen? Hier ist die Zeit stehengeblieben, und jeder, der hier lebt, bleibt für sich. Ich seh dich seit Jahren, wir sprechen zum ersten Mal miteinander. Es gibt kaum Veränderung. Das hier ist keine offene Gegend, aber eine Weile kann das gut sein, braucht man das vielleicht.

Er sieht Stella nachdenklich an. Dann sagt er, tanzt du.

Nein, sagt Stella. Ich tanze nie.

Es ist komisch, diesen Satz zu sagen. Ich tanze nie. Sie denkt, manchmal tanze ich mit Esther, und sie muss darüber lachen, er lacht auch, lacht auf eine wissende Weise in sich hinein.

Du wärst sicher eine gute Tangotänzerin.

Unwahrscheinlich, denkt Stella, dass sich manche Dinge noch ergeben werden. Dass ich irgendwann tanzen werde. Und ist das nun schade oder nicht.

Sie nimmt die Tasse hoch und streckt die Beine aus.

Die Armbanduhr des Fahrradmechanikers gibt einen leisen Signalton von sich, vier Uhr, er sagt, das habe ich einmal zufällig eingestellt, und seitdem lasse ich's so. Es soll mich gar nicht an den Feierabend erinnern. Ich kann mich nur fragen, was an diesem Tag gewesen ist, das ist alles.

Und was war heute, sagt Stella zögernd.

Ich hab ein Rad repariert. Eine Seite in einem Buch gelesen, meine Pflanzen gegossen, du bist vorbeigekommen, ich habe dir einen Tee gekocht. Zweifelsohne viel für einen Tag.

Stella sagt es irgendwann.

Ich wollte dich nach Mister Pfister fragen, nach deinem Nachbarn. Ich wollte dich fragen, ob du ihn kennst.

Sie sagt es, dann hält sie die Luft an.

Natürlich kenne ich Mister Pfister, sagt der Fahrradmechaniker. Er verzieht keine Miene, zuckt nicht mit der Wimper. Ich kenne so ziemlich alle Leute, die in dieser Straße wohnen. Außer dir wahrscheinlich. Alle außer dir.

Er sagt, warum fragst du das. Was willst du wissen.

Stella richtet sich in ihrem Stuhl auf, atmet aus und beugt sich vor. Sie ist voller Reue, sie fühlt sich an etwas erinnert, fast an etwas aus der Kindheit, etwas lange Vergessenes.

Sie will wissen, ob die Sache aus dem Ruder läuft. Aber was hat der Fahrradmechaniker damit zu tun?

Stella sagt, es ist so, dass Mister Pfister mit mir sprechen will. Er möchte nämlich gerne ein Gespräch mit mir führen.

Ja, und was ist daran schwer, sagt der Fahrradmechaniker lächelnd, was soll er auch sonst sagen, natürlich stellt er genau diese dumme und richtige Frage.

Ja, ich will's nicht, sagt Stella. Ich will kein Gespräch mit ihm führen, und er sieht es nicht ein. Er sieht es einfach nicht ein, er lässt mich nicht in Ruhe, er terrorisiert mich. Er terrorisiert mich. Ihre Stimme zittert hörbar.

Der Fahrradmechaniker sieht auf die Straße raus. Nicht zu Mister Pfister rüber.

Er sagt, also wenn die Sonne weg ist, gehen wir hinters Haus.

Vielen Dank, sagt Stella.

Sie wartet eine Weile. Dann sagt sie, was ist das für ein Mensch. Kannst du mir was über ihn erzählen, ginge das.

Der Fahrradmechaniker könnte sagen, warum soll gerade ich dir was über Mister Pfister erzählen. Er könnte sagen, warum gerade ich, ich mische mich da nicht ein. Aber das tut er nicht. Er kommt Stella zu Hilfe, zumindest spricht er, verweigert die Antwort nicht. Er verrät sich damit ein kleines bisschen. Wir tun das ständig, denkt Stella dankbar, wir verraten unentwegt.

Der Fahrradmechaniker sagt, Mister Pfister kommt mich manchmal besuchen. Er sitzt dann da, wo du gerade sitzt. Er ist ziemlich alleine. Ich kann mir das schon vorstellen, dass er kein Nein akzeptieren kann, er ist aus der Übung, er hat nicht viel mit anderen Menschen zu tun. Vielleicht war das immer schon so. Das kann sein.

Er sagt, Mister Pfister sah mal sehr gut aus – das ist jetzt weg, er nimmt Medikamente, es gibt psychische Probleme. Er hätte einige Frauen haben können, hatte er aber nicht. Er ist trotzdem sehr von sich eingenommen, das ist auffällig. Er findet sich gut, er hält große Stücke auf sich, er ist selbstgefällig und auch eitel. Wenn wir hier zusammensitzen, erzählt er gerne was. Weiß, wie die Dinge laufen. Was diese Welt zusammenhält, er hat seine eigene Vorstellung von den Zusammenhängen. Unveränderbar. Nicht zu beeindrucken, so kann man's sagen. Mister Pfister ist nicht zu beeindrucken.

Er zündet sich jetzt endlich die Zigarette an, zieht einmal, zweimal, und sieht doch kurz zu Mister Pfisters Haus rüber, nicht beunruhigt, eher so, als wollte er was überprüfen. Dann sagt er, aber er ist auch sensibel. Empfindlich, gebildet, irgendwann muss er mal was gewollt haben. Wenn er dir hinterherläuft, geht's ihm sicherlich nicht gut. Ich hab ihn schon eine ganze Weile nicht mehr gesehen. Er ist schon eine Weile lang nicht mehr rübergekommen, wer weiß, was das zu bedeuten hat.

Er läuft mir nicht hinterher, sagt Stella. Er hetzt mich, das ist ein Unterschied. Ich möchte, dass er damit aufhört, ich kann's nicht mehr aushalten.

Dann musst du's ihm sagen, der Fahrradmechaniker sieht Stella gleichgültig an, er scheint zu überlegen, auf welcher Seite er eigentlich stünde, würde man ihn danach fragen. Er ist offenbar nicht unbedingt Mister Pfisters Freund, aber er scheint ihn doch zu schätzen.

Sag ihm das. Wenn du nie mit ihm gesprochen hast, dann solltest du's vielleicht mal tun. Sag ihm das, rede mit ihm. Man kann mit ihm reden, da bin ich sicher, das kann man.

Ach, sagt Stella. Kann man das?

Dieser Ratschlag ist das Gegenteil von Jasons Ratschlag. Das Gegenteil von Claras Ratschlag, aller Ratschläge im gottverdammten elenden Netz. Aber Stella hat das Gefühl, dass sie auf diesen Ratschlag hören wird. Was würden Jason und Clara dazu sagen? Und was würden sie dazu sagen, dass sie hier überhaupt sitzt.

Aber sie sitzt hier ja nicht im Versteck. Jason kann

am Haus vorbeigehen, Mister Pfister kann vorbeigehen, jedermann kann das.

Lass uns den Ort wechseln, sagt der Fahrradmechaniker, in die warme Abendsonne wechseln.

Er nimmt seine Tasse vom Tisch und schüttet den
Rest vom Tee mit einer abschließenden oder vorberei-
tenden Bewegung ins Gras.

Ja, sagt Stella. Gerne.

Könnte ich durchs Haus gehen? Durch den Flur
und die Küche, hinten wieder raus, ich würde gerne
wissen, wie dein Haus aussieht. Im Gegensatz zu meinem.

Klar, sagt der Fahrradmechaniker. Kannst du gerne
tun.

Er steht vor ihr auf, geht vor ihr hinein.

19

Esther macht in diesen Tagen alles alleine. Wenn Stella kommt, sitzt sie schon in der Küche, sie hat sich alleine angezogen, ihr Bett geordnet, ihre Medikamente, Brillen, Stifte, Kreuzworträtsel und die Zeitung auf das Tablett am Gehwagen gelegt und sich auf den Weg gemacht. Sie hat die Küchentür, die sonst weit aufsteht, hinter sich geschlossen, Stella vermutet, dass das etwas zu bedeuten haben soll, kommt aber nicht drauf, was. Esther sitzt am Küchentisch und hat das Radio sehr laut gestellt. Sie hört ein klassisches Konzert und hebt warnend die Hand, als Stella in die Küche kommt, Stella fängt trotzdem an, die Einkäufe auszupacken, das Geschirr abzuwaschen, auszufegen. Sie haben keine Ahnung, sagt Esther, es ist ganz erstaunlich, dass Sie wirklich von nichts die allergeringste Ahnung haben.

Sie neigt den Kopf zum Radio hin und dirigiert mit

geschickten, kleinen Bewegungen ein unsichtbares Orchester. Pa-ti-ta. Pa-ti-ta. Pa-ti – hören Sie hin, jetzt tauchen sie auf. Nixen. Esther schüttelt den Kopf und winkt ab, als hätte Stella etwas gesagt, dann macht sie das Radio aus und beugt sich übers Fernsehprogramm, kreuzt mit zornigen Strichen alle Sendungen an, die sie sehen möchte, die sie für wertvoll hält.

Ich kann alleine für mich sorgen. Machen Sie mir Toast mit Orangenmarmelade, wenn Sie schon hier herumschleichen, und fegen Sie das Zimmer aus, die Staubmäuse sind groß wie Kindsköpfe, ich weiß gar nicht, wer Ihnen allen beigebracht hat, wie ein Haushalt zu führen ist. Sie sind bleich. Legen Sie sich eine andere Frisur zu. Gehen Sie mal unter Leute, ich glaube, die Einzige, auf die Sie sich einlassen, bin ich. Ich.

Stella leert den Toilettenstuhl, die Schale mit Waschwasser, den Becher mit Esthers zäher Spucke, sie spült den Becher im Bad über dem Waschbecken aus und sieht irgendwohin, jedenfalls nicht in den Spiegel. Sie saugt Staub, stapelt die alten Zeitungen, sie hat Blumen mitgebracht, Iris und Rosen, und sie ordnet sie sorgfältig in Esthers Glasvase an, sie hört Esthers Monologen zu und denkt, dass sich in dem, was Esther vor sich hin redet, ein Kern verbirgt, eine Wahrheit. Esther ist unbeliebt, wahrscheinlich deshalb. Stella räumt die Bücher, die Esther im Verlauf des Wochenendes hinters Bett hat fallen lassen, ins Regal zurück, Gedichtbände, Erzählungen, Traumdeutungen. Sie wischt das Regal ab und stellt die Fotos von Esthers Kindern und Enkelkindern wieder zusammen, es ist bitter zu sehen, mit wie vielen Menschen Esther gelebt hat und wie alleine sie jetzt ist. Kommen Sie zur Sache, ruft Esther aus der Küche. Bewegen Sie sich! Sie lässt offen, welche Bewegung, welche Sache sie meint.

Stella setzt sich zu Esther an den Tisch, schneidet den Toast in Stückchen, sagt, Esther, Sie müssen vernünftig sein, lassen Sie mich an ihr Ohr, messen Sie Ihren Zucker. Esther wendet sich ab und hält Stella mit der Miene eines gekränkten Kindes, das es besser weiß, ihr linkes Ohr hin, Stella presst einen Tropfen Blut aus dem weichen, zarten Ohrläppchen heraus. Sie sind überzuckert, Esther, und sie sieht zu, wie Esther vertrauensvoll ihr Hemd hebt und sich das Insulin in den aufgeschwollenen Bauch injiziert. Sie trägt Esthers Werte ins Stundenbuch ein, sie sitzen friedlich zusammen, Stella hat das deutliche Gefühl, dass Esther froh über ihre Anwesenheit ist, auch wenn sie das niemals sagen würde. Verdächtig gut drauf, hat der Nachtdienst ins Stundenbuch eingeschrieben, auffällig vital, Stella weiß, was das zu bedeuten hat, auf eine gesteigerte Vitalität folgt oft Krankheit, ein Sturz, Unglück.

Schlagen Sie dieses schreckliche Buch zu, sagt Esther streng. Gehen Sie los. Hier weht ein frischer Wind, das kann ich spüren, und wir beide, Sie und ich, wir werden uns nicht mehr oft wiedersehen. Wie geht es Ihrem Kind?

Gut, sagt Stella. Ava geht es gut. Sie hat letzte Woche beide Vorderzähne auf einmal verloren, sie sieht aus wie ein kleiner Vampir.

Aha. Esther lächelt vage. Sie sagt, ich glaube, Sie werden uns verlassen, oder. Sie werden Paloma eine schöne Kündigung auf den Tisch legen, das werden Sie tun. Irre ich mich.

Nein, sagt Stella. Sie sagt, ich weiß nicht.

Nun, sagt Esther, das ist hier eine tote Ecke. Eine tote Ecke der Welt. Ich weiß gar nicht mehr, was mich hierher verschlagen hat, wie in Herrgottsnamen ich mal hierhergekommen bin.

Stella hat das vor Augen, als sie vor Esthers Haus auf ihr Fahrrad steigt. Sie hätte sagen können, das geht mir genauso. Ich weiß auch nicht mehr, was mich hierher verschlagen hat, wie ich hierhergekommen bin.

Die dämmerigen, sommerlichen Gärten verschließen sich, die einfachen Straßen sehen plötzlich vollständig fremd aus, etwas verändert sich, hat sich schon verändert.

In letzter Zeit, schreibt Stella an Clara, *habe ich dieselben Träume wie in meiner Kindheit. Ich träume von der Puppenstube, die in meinem Kinderzimmer stand, und durch das nächtliche Zimmer huscht ein winziges Wesen, von dem ich weiß, dass es böse ist. Es versteckt sich in der Puppenstube, es ist nicht wiederzufinden, aber ich weiß, es ist da, es ist in meinem Haus. Was hat das zu bedeuten? Ich schreibe dir diesen Brief im Garten, es ist schon fast dunkel, ich sehe nicht mehr, was ich zu Papier bringe, und ich hab auch keine Worte, kein einziges kleines Wort für meine Sehnsucht nach Jason, die sich so endgültig anfühlt, als wäre er tot. Aber er ist nicht tot. Morgen kommt er wieder, und im Kühlschrank warten drei Biere und eine Schale mit Pflaumen auf ihn. Weißt du noch, wie zuversichtlich wir vor zehn Jahren gewesen sind? Beinahe verwegen. Und dabei ging es um nichts. Was wir wollten, ist das, was wir haben – Mann, Kind, Dach über dem Kopf, ein abgeschlossenes Leben. Es wird gleich regnen, man kann das spüren, bevor es dann wirklich zu regnen beginnt, es ist etwas Elektrisches, es liegt in der Luft. Clara! Mach's immer gut. Ich bin unverändert und anhänglich deine –*

Die Hitze steht über der Stadt, in der Nacht wird der Horizont nicht mehr schwarz, er glimmt unheilverkündend und drohend orange unter einer Wand aus Wolken hervor. Entgegen Palomas Ankündigung stirbt niemand, aber die Schichten sind anstrengend und mühsam. Stella begleitet Walter ins Krankenhaus. Walters Katheter muss gewechselt, sein Darm gespült und dann gespiegelt werden, er wird eine lange heiße Woche im Krankenhaus bleiben müssen, und Stella weiß nicht, ob Walter weiß, dass seine Familie in dieser Woche kommen und mit Paloma sprechen wird, seine Schwestern und sein Bruder. Möglicherweise werden sie ihn in ein Pflegeheim bringen, sein Haus auflösen und verkaufen, wie kann man diese zerbrechlichen Modelle von Brücken aus Pappe transportieren, und wird das überhaupt irgendjemandem wichtig sein. Wer wird sich um die Kanarienvögel kümmern. Könnten die Kanarienvögel, würde man sie freilassen, in den Gärten überleben? Stella sitzt neben Walter im Krankentransporter, Walter ist in seinem Rollstuhl festgeschnallt, die Fenster des Transporters sind aus Milchglas, man kann sie nicht öffnen, es ist unmöglich festzustellen, in welchem Teil der Stadt sie sich befinden, wo sie überhaupt sind. Walter kann, wenn er schon durch die Stadt gefahren wird, nicht aus dem Fenster sehen, Ava würde über diese Ungerechtigkeit in Tränen ausbrechen. Der Verkehr stockt. Die getönte Trennscheibe zur Fahrerkabine ist geschlossen, und Stella und Walter sehen dem unhörbaren Gespräch der Fahrer zu, in dem es offenbar um all das geht, was immer schon war und sich nie mehr ändern wird, eine Choreographie des Abwinkens und Kopfschüttelns. Sie stehen im Stau. Walter schließt die Augen. Er hält Stella sein Gesicht hin wie für einen allerletzten Blick, ein Gesicht aus der Serie der Schlafenden, die um sein Bett herum hängen. Wovon träumt Walter. Stella weiß so viel über ihn und so wenig, sie sieht ihn an, er ist auf eine krankhafte Weise sorgfältig rasiert, und seine Lider sind zerknittert, die Wimpern dicht wie bei einem Kind. Er macht die Augen wieder auf, als hätte Stella genug gesehen. Er sagt, Durst, und Stella hält den Becher hoch, steckt ihm den Strohhalm zwischen die Lippen, wischt ihm mit dem Tuch das Wasser vom Kinn und stellt den Becher wieder ab, sie sagt, reicht das, Walter antwortet nicht. Der Fahrer bremst, hält endgültig an und schaltet den Motor aus. Stella sieht an Walters Lächeln, dass ihm das egal ist, dass die Dinge sowieso nicht im Verhältnis zueinander stehen. Sie hat den Vormittag mit ihm am Pult verbracht, seine schweren Arme und Beine hochgehoben und gesagt, anspannen, Walter, selber machen und anspannen, und Walter ist nicht in der Lage gewesen, auch nur eine koordinierte Bewegung auszuführen. Sollen wir aufhören? Aber er hat den Kopf geschüttelt und das offenbar aushalten wollen, diese schweißtreibende Zusammenarbeit in der Mitte des Wohnzimmers bei drückender Hitze und vor dem Fernseher, vor Trickfilmen, als würde die eigenartige Bewegung der Trickfilmfiguren Walters eigenen Bewegungen mehr entsprechen als jede einzelne Bewegung in der Wirklichkeit. Stella beugt sich vor und klopft an die Trennscheibe, der Fahrer dreht sich um und macht die Scheibe einen Spaltbreit auf, ein Gefängniswärter täte das nicht anders.

Können Sie's abschätzen, sagt Stella unkonzentriert. Ich meine, können Sie abschätzen, wie lange wir noch so stehen werden, wenn das dauert, würden wir nämlich aussteigen, sie weiß, dass sie klingt wie ein trotziges Kind.

Freiheit. Die Freiheit, aus einem Auto auszusteigen.

Wenn ich solche Dinge wüsste, sagt der Fahrer, säße ich hier nicht. Ich wäre woanders, ganz woanders, und er belässt es bei dieser eigenwilligen Antwort, macht die Scheibe wieder zu, wendet sich ab.

Ich werde weggehen, Walter, sagt Stella. Sie zerknüllt das feuchte Tuch in ihrem Schoß. Ich wollte, dass du das weißt, ich höre auf, bei Paloma zu arbeiten, wir ziehen um. Ich bin noch da bis zum Ende des Monats, dann werde ich kündigen, ich bin nicht sicher, wann Paloma mich gehen lassen kann. Wenn du aus dem Krankenhaus zurück bist, bin ich noch da. Auf jeden Fall. Aber später werde ich dann gehen müssen.

Sie redet und redet. Sie weiß, dass sie so redet, weil Walter nichts dazu sagen wird. Nichts dazu sagen und nichts fragen kann, er kann nur zwischen den Silben schwanken, zwischen Lauten, die so oder so zu verstehen sind, je nachdem, je nachdem, was Stella hören will.

Dermot sagt, was haben Sie heute gegessen.

Was habe ich heute gegessen, sagt Stella. Sie muss einen Augenblick nachdenken, dann fällt es ihr ein – Salat. Ich habe Salat und Brot gegessen, und den letzten kalten Eierkuchen, den Ava gestern nicht mehr geschafft hat. Und Sie?

Ein bisschen Suppe, sagt Dermot abwesend. Es ist eigentlich zu heiß, um zu essen, oder. Aber man muss was essen. Irgendwas muss man zu sich nehmen.

Warum fragen Sie, was ich gegessen habe, sagt Stella ernst.

Manchmal kann das ablenken, sagt Dermot, und er lächelt, als habe sie ihn bei etwas ertappt.

Sie stehen zusammen in Dermots Garten. Julia ist im Krankenhaus, sie ist in der Nacht aufgestanden, hat sich in die Küche gesetzt, auf ein Zeichen gewartet und im Morgengrauen schließlich das Haus verlassen, sie ist vor dem Haus gestürzt, und Dermot hat sie auf den Stufen gefunden. Sie war angezogen wie für einen Sonntagsgottesdienst oder wie für ein Konzert, aus ihren Ohren lief Blut. Woher hat sie die Kraft dafür genommen, und warum hat Dermot sie nicht gehört, warum hat er nicht gehört, wie sie aufgestanden ist, wie kann das sein. Stella denkt, dass Julia in gewisser Weise aus dem Bild gegangen ist. Endgültig aus dem Bild gegangen ist, eine Bewegung, die sie an einem Tag am Meer in einem März vor vierzig Jahren begonnen, jetzt zu einem Ende geführt hat.

Es sieht so aus, sagt Dermot gelassen, dass wir gleichzeitig unsere Sachen packen werden. Sie und ich. Unseren, wie sagt man – Plunder. Er sieht Stella an, sein Gesicht ist zu vertraut, als dass sie erkennen könnte, wie traurig er ist. Seine Freundlichkeit scheint schwächer geworden zu sein, eine abnehmende, sich zurückziehende Wärme. Stella meint, das verstehen zu können.

Er ruckt mit dem großen Kopf, als wolle er sie von diesen Gedanken abhalten. Er sagt, wissen Sie schon, was Sie machen wollen?

Nein, sagt Stella. Sie muss lächeln, es macht sie verlegen, nicht zu wissen, was sie tun will. Sie sagt, meine Arbeit kann ich überall machen, oder. Ich meine, es gibt überall Leute wie Sie, wie Julia, wie Esther. Es gibt überall eine Paloma. Aber vielleicht mache ich auch was ganz anderes. Mal sehen?

Ja, Sie werden das sehen, sagt Dermot. Er klingt sachlich. Veränderung setzt Energie frei, eine Energie, von der Sie jetzt vielleicht noch gar nichts wissen.

Stella denkt, das gilt dann aber auch für dich. Gilt das auch für dich? Wird Julias Tod in dir eine Energie freisetzen, von der du jetzt noch gar nichts weißt, welche Energie soll das denn sein.

Sie kann sich nichts vorstellen. Sie bleibt neben Dermot stehen, und sie sehen zu, wie der Wind in die Planen vor dem Haus geht, die Planen schlagen Wellen wie Wasser, werfen das Licht zurück.

20

Am Mittag nach Jasons Abreise legt Mister Pfister einen gelben Zettel in den Briefkasten.

Stella sieht ihn vom Schlafzimmer aus kommen – sie räumt die Wäschekommode auf, sortiert Jasons Hemden und verlängert damit seine Anwesenheit, sie will den Kontakt nicht verlieren –, und sie sieht Mister Pfister die Straße herunterkommen, Kapuzenpullover, dunkle Hose, geschwollenes Gesicht, er hat die linke Hand in der Hosentasche, stopft das, was er in der rechten hat, ohne Umschweife in den Briefkasten, dann drückt er auf die Klingel und sieht zum Schlafzimmer hoch, er lässt den Daumen auf der Klingel, während er hochsieht.

Stella, oben im Zimmer, sieht ihn an. Die Klingel schrillt. Sie steht mit Jasons Hemden im Arm am offenen Fenster und sieht zu Mister Pfister runter, er steht wie eingerahmt von ihrem Fensterkreuz, den Königskerzen zur Linken, dem Waldrand zur Rechten, was für ein Bild. Dann bricht die Klingel ab. Mister Pfister dreht sich um und geht zurück nach Hause.

Stella sortiert die Wäsche zu Ende. Sie macht das Bett, lehnt das Fenster an. Sie stellt in der Küche das Geschirr vom Frühstück ins Abwaschbecken und schüttet die Teeblätter aus der Kanne, sie legt die von Jason am Morgen gelesene Zeitung ordentlich zusammen, sieht sich eine Weile das Foto über der Schlagzeile an, drei gelandete Taikonauten in einer wüsten Landschaft. Sie wischt sorgfältig den Küchentisch ab, sie kann überhaupt nicht mehr damit aufhören, den Küchentisch abzuwischen. Sie geht in den Flur und macht sich vor dem Spiegel ihre Haare auf, kämmt sie und steckt sie wieder zusammen. Sie kneift sich in die Wangen, so wie Clara das immer gemacht hat. Clara das immer macht. Sie zieht ihre Jacke an, schließt die Haustür hinter sich ab und den Briefkasten auf.

Hallo, wie ist es denn so, gestalkt zu werden

Stella klappt den Briefkasten zu, ohne den Zettel anzufassen. Sie geht aus dem Garten, hinein in den warmen Tag, die Straße runter nach links, in Mister Pfisters heftig vibrierender Spur. Das Haus der Studentin, der asiatischen Familie, der Alten, Garten verlassen, Rhododendron beschnitten, am Feldrand ein aufgespannter Sonnenschirm über einem umgekippten Stuhl. Brachland, Pappelpollen im Rinnstein, Löwenzahn, dann der Pool, die Terrasse, auf der ein Mann im Schatten sitzt und sich mit einer vagen, desinteressierten Bewegung nach Stella umsieht, und endlich das vertraute, märchenhafte Haus des Fahrradmechanikers, ein Haus aus Glas, von dem Stella ein für alle Mal weiß, welchen Geruch es hat – Leinen und Kernseife und Minze, sie weiß, wie das Licht im Zimmer unterm Dach auf die Dielen fällt und dass auf den Stufen der Treppe Dinge abgestellt sind, für die noch kein Platz gefunden ist, eine hölzerne Kaffeemühle, Saftgläser, Filmspulen, sie weiß, dass das Bild eines Hundes an der Wand zwischen Wohnzimmer und Küche hängt und dass der Fahrradmechaniker eine Vorliebe hat für Armeejacken aus grünem Tuch – sein Haus liegt still. Die beiden Klappstühle sind an die Wand gelehnt, und das erste der Fahrräder neben der Tür ist immer noch ihres.

Stella sieht im Vorübergehen hin. Sie bleibt nicht stehen, wird auch nicht wirklich langsamer, sie kommt vor Mister Pfisters Haus an, verschlossenes Tor und schwarze Scheiben, kein Gegenstand im Garten, der etwas über Mister Pfister erzählen würde, keine Wendung der Geschichte.

Stella klingelt.

Sie kann die Klingel im Haus schrillen hören, eine Klingel wie ihre eigene, trotzdem klingt sie anders, von etwas gedämpft, verstopft. Sie stellt verwundert fest, dass Mister Pfister sie tatsächlich dazu gebracht hat, genau das zu tun, was er sonst tut – an einem Haus zu klingeln, in dem man ihr nicht öffnen will. In Wut und in Rage den Finger fest auf eine Klingel gedrückt zu halten und zu denken, ich weiß, dass du da bist.

Er hat es fertiggebracht, Stella zu seinem Spiegel zu machen, so sieht es aus.

Stella sagt es, sie zischt. Komm raus. Mach die Tür auf. Mach-die-Tür-auf. Komm da raus.

Es knackt in der Sprechanlage, und sie kann seine Stimme hören.

Das ist hier ein Privathaus.

Stella muss darüber lachen. Sie beugt sich vor und sagt, oh, ja, ich weiß. Verdammt nochmal, das weiß ich. Ich möchte auch gar nicht in dein Haus. Ich möchte mit dir sprechen, mach die gottverdammte Tür auf, mach sie auf.

Mister Pfister drückt auf den Summer. Stella lehnt sich gegen das Tor, das Tor geht auf. Die Haustür geht gleichzeitig auf, und Mister Pfister kommt raus. Stella sieht ihn auf die Schwelle treten, und sie hat erneut das Gefühl, dass mit dem Öffnen der Tür eine Energie aus dem Haus entweicht, wie eine Flüssigkeit, ein Strom von Gedanken und Ahnungen, exzessive Spannung, oxidierende Angst. Mister Pfister sieht aus, als würde er zum ersten Mal in seinem Leben jemandem die Tür öffnen. Auf jemanden zugehen, ins Helle, ans Licht. Er setzt seine Füße wie ein Kranker, ganz genau so wie Walter Esther Julia, er kommt die drei Stufen runter und auf Stella zu, einer, der dem Boden unter seinen Füßen nicht trauen will. Die Luft ist dick. Stella spürt, wie ihr der Schweiß ausbricht, sie kann sich selber atmen hören. Aber ihre Hände sind eiskalt, ihr Mund ist trocken, sie hat Ava vor Augen, Avas weiches Gesicht, und sie kann ihre kleine raue Stimme hören, sie hört auch die Stimme des Fahrradmechanikers, man kann mit dem reden, rede mal mit ihm.

Mister Pfister hat, soweit sie das erkennen kann, nichts in den Händen. Er kommt mit leeren Händen auf sie zu. Er macht eine hilflose, eindeutige Geste, er deutet auf seine Tür – er lädt sie ein.

Er lädt sie ein, ins Haus zu kommen, sich zu setzen. Mal zu sehen, wie sein Haus aussieht im Gegensatz zu ihrem.

Er ist für Stella rausgekommen, sie hat ihn rausgeholt, ist es vielleicht möglich, denkt Stella ungenau, dass es ihm nur darum gegangen ist. Sie kann noch einmal sehen, wie hübsch er ist, wie jung und wie müde, sein Gesicht ist aschgrau, der Ausdruck seiner

Augen verzweifelt, er strömt einen faden, sauren Geruch aus, sein Mund ist kindlich und viel zu groß. Er verzieht jetzt das Gesicht, möglicherweise soll das ein Lächeln sein; er versucht was, versucht, einen Ton zu finden, etwas, an dem er sich festhalten kann.

Stella erinnert sich an Jason. Im Flugzeug, an seine offene Hand, sie hört sich selber sagen, ich habe Flugangst, ich habe wirklich sehr große Flugangst, und sie hört Jasons Stimme, seine Versicherung.

Sie schüttelt den Kopf. Ich will nicht in dein Haus. Ich will auch gar nicht lange bleiben. Du hast mir eine Frage gestellt, ich will dir deine Frage beantworten.

Mister Pfister bleibt stehen. Stella geht weiter auf ihn zu, sie könnte ihn anfassen, den schmutzigen Stoff seines Kapuzenpullovers anfassen, begreifen, dass er wirklich ist. Sein Gesichtsausdruck wechselt von Verzweiflung zu Verwirrung, dann zu fragendem Unverständnis.

Der Zettel, sagt Stella. Sie spuckt die Worte aus. Dein gelber dreckiger Zettel mit der Frage, wie es ist, gestalkt zu werden. Ja?

Mister Pfister nickt, es dämmert ihm, er findet zu etwas zurück. Der Zettel. Die Frage, die Verhinderung eines Gespräches, seine Obsession, ihm scheinen Bruchstücke einzufallen, Fragmente, er sieht aus, als flüsterte ihm jemand, den Stella nicht sehen kann, etwas ins Ohr.

Es ist grässlich, gestalkt zu werden. Es macht mein Leben kaputt. Es macht mich kaputt. Ich will, dass du damit aufhörst. Ich will, dass du nie wieder bei uns klingelst, nie wieder etwas in den Briefkasten legst, dass du verschwindest, ein für alle Mal. Hast du das verstanden. Hörst du mich?

Ähnlich, wie mit Ava zu sprechen. Ähnlich, wie zu Ava zu sagen, du musst deine Mütze auf dem Kopf behalten. Du darfst niemals bei Rot über die Straße gehen. Du sollst jetzt endlich einschlafen. Hörst du mich. Hörst du mir zu?

Stella spürt Brechreiz in sich aufsteigen, vielleicht ist das Mitleid, es lässt sie fast straucheln. Warum setzt sie sich nicht mit ihm auf die Stufen vors Haus, eine Zigarettenlänge, eine Viertelstunde nur, was wäre ihr das. Sie kann nicht. Aber sie kann es nicht.

Ich möchte nur mal mit jemandem reden, sagt Mister Pfister. Die Worte kommen schwer über seine Zunge, zäh, Wort für Wort, eigentlich zusammenhangslos. Mit jemandem. Reden. Ich habe das nicht gewusst. Ich wusste nicht, dass es schrecklich für dich ist.

Ist es. Es ist schrecklich. Und ich bin nicht die Richtige, sagt Stella sanft. Sie sagt es beinahe zärtlich. Versteh das, ich bin nicht die Richtige dafür. Du musst dir jemand anderen suchen, wir haben nichts miteinander zu tun, siehst du das nicht? Ich bin nicht die, für die du mich hältst. Ich bin eine ganz andere.

Wie eigenartig, zu sagen – aber ich bin nicht die Richtige. Den Blick des anderen einfach abzulehnen. Woher weiß ich, denkt Stella, dass ich nicht die Richtige bin, woher nehme ich das.

Sie stehen voreinander und sehen sich an, Stella sieht Mister Pfister an, sie kann ihn sehen, sie wird ihn nie wieder vergessen. Seine Augen, ein gelber Kranz um die verschattete Iris herum und hinter der Müdigkeit ein verstecktes Amüsement. Sein großer Mund, eine sichelförmige Narbe an der Oberlippe, Ausdruck von Überforderung und gleichzeitig besserem Wissen. Seine Körperhaltung, das ganze Gegenteil von Jasons Haltung, von der Haltung des Fahrradmechanikers, seine schlaffe, gepeinigte Aura.

Er streckt die rechte Hand aus. Spröde Haut, schuppig, unfähig, zuzudrücken, etwas festzuhalten. Stella nimmt ihre Hände hoch, sie zeigt ihm ihre Handflächen, es ist nicht möglich. Ihre Hände. Meine Güte. Er zieht seine Hand zurück.

Ich wünsche dir alles Gute.

Stella dreht sich um. Sie sieht das Tor vor sich zufallen, aber das ist nur eine Sequenz, eine panische Vorstellung, das Tor ist auf, und sie geht durch und zurück auf die Straße, und sie zieht das Tor hinter sich zu, ohne sich noch einmal umzusehen. Sie zittert; alles zittert.

Mister Pfister kommt am Nachmittag vorbei.

Hat sie angenommen, er würde nicht mehr kommen? Hat sie im Ernst gedacht, die Sache hätte sich erledigt, sie könnte sich anderem zuwenden (einer Seite in einem Buch, einem Gedicht, dem Magazin der Sonntagszeitung, der Himbeerernte, dem Fensterputzen), hat sie gedacht, sie hätte alles richtig gemacht.

Hat sie nicht.

Mister Pfister klingelt am Nachmittag um drei Uhr, und Stella steht von ihrem Stuhl hinterm Haus auf und nimmt sich nicht mehr die Zeit, die Schuhe wieder anzuziehen, sie läuft barfuß über den Rasen und aufs Tor, auf Mister Pfister zu, sie rennt. Da steht er, wartet auf sie, sieht ihr entgegen. Der Fahrradmechaniker hat sich getäuscht.

Stella befolgt die *Hausordnung*. Sie lässt jeden ein, werauchkommt. Sie reißt das Tor auf, Mister Pfister erschrickt darüber nicht, aber er tritt doch einen kleinen Schritt zurück, einen kleinen Schritt nur und ohne den glühenden Blick von Stellas Gesicht abzuwenden.

Stella sagt, du kannst es nicht lassen. Es geht nicht, oder was. Ist dir nicht möglich, oder was. Sie hat das Gefühl, sie sei weiß vor Wut. Sie hat das Gefühl, nicht richtig sehen zu können, alle Konturen sind viel zu exakt, tun ihr in den Augen weh.

Mister Pfister sagt, nein, nein, geht nicht. Ist nicht möglich, kann ich nicht lassen. Kann ich nicht lassen.

Er steht vor ihr auf der Straße und bebt.

Ich hab drüber geschlafen. Mich noch mal hingelegt. Versteh mal, ich hab drüber geschlafen, ich hab drüber nachgedacht. Und ich bin aufgewacht, und ich denke, ich seh's nicht ein. Und ich höre nicht auf. Ich trete dir nicht nur dein Gartentor ein, ich trete dir auch deine Haustür ein. Ich trete dir dein ganzes Leben zusammen, ich bin in der Lage dazu. Du wirst unter der Bettdecke liegen und an den Nägeln kauen, du wirst mit den Zähnen klappern.

Stella hört hin, kann aber nichts begreifen. Sie hält sich am Tor fest und hört, wie etwas in Mister Pfisters Sprechen kippt und dann zersplittert. Seine Mutter. Aller Tage Abend. Die Nächte. Haken und Systeme, die Polizei, soweit sie ihm folgen kann, fordert er sie auf, zur Polizei zu gehen. Sie hört hin – es ist ähnlich, wie Walter zuzuhören –, und sie sieht das Zersplittern der Worte in seinem Gesicht, sie kann es geradezu lesen, und sie kann auch sehen, dass er das spürt und zurückhalten will und nicht zurückhalten kann. Es sieht schrecklich aus. Und trotzdem denkt Stella, dass sie Mister Pfister umbringen will, erschießen, totschlagen, zertreten, zerschneiden wie Papier, hier und jetzt, auf dieser Stelle. Aufhören. Damit das einfach aufhören kann.

Mister Pfister bricht ab. Fahl.

Er sagt, erstatte Anzeige. Du erstattest jetzt Anzeige, mach das.

Mach ich, sagt Stella. Mach ich.

21

Ich habe, schreibt Clara an Stella, zwei Tücher aus Seide bemalt, mit chinesischen Motiven, Lotusblüten und Vögeln, aber zwischen dem Lotus und den Vögeln ist auch noch was anderes versteckt, was ganz Winziges, eher Hässliches, du musst es suchen. Ein Tuch für dich und eines für mich. Alma hat große Probleme, sich an den Kindergarten zu gewöhnen, und Ricky verliert alle Zähne auf einmal, es ist eine komische Einrichtung, findest du nicht, die ganzen durchwachten Nächte mit den schreienden Babys, wenn sie ihre Milchzähne bekommen, und fünf Jahre später spucken sie sie einfach alle wieder aus. Erinnerst du dich an Avas zahnloses Babylächeln? Daran, wie müde wir waren. Almas Erzieherin sagt zu mir, Alma sei noch so kindlich, und ich könnte sagen, ja, was zum Teufel soll sie denn sonst sein, sie ist doch schließlich noch ein Kind, solche Erwiderungen fallen mir immer zu spät ein, erst wenn wir schon lange wieder zu Hause sind. Ich habe glücklicherweise viel zu tun, sonst würde ich Alma da einfach wieder rausholen. Aber ich muss zwei Bilder fertigmalen, und ich hab den Entwurf für die Meerjungfrau fertig gemacht, die Meerjungfrau hat dein Gesicht. Wenn ich sie gegossen habe, musst du kommen und sie taufen. Ava darf sich den Namen aussuchen, sollten die Kinder sich nicht bald wiedersehen, werden sie später auf der Straße aneinander vorbeilaufen und sich nicht mehr erkennen, das ist eine grauenhafte Vorstellung, finde ich. Aber vielleicht erkennen sie sich doch? Erkennen etwas im anderen, ungenau, wie eine vage Erinnerung an etwas, das mal gewesen ist. Wir haben Holz für den Winter bestellt, der Holzlieferant hat es aus dem Laster einfach mitten auf die Wiese rutschen lassen, und jetzt staple ich Holzmieten, eine bessere Arbeit gibt es nicht. Stupide und gut. Der Geruch vom Holz ist wunderbar, die Ordnung der Scheite extrem beruhigend. Eigentlich will ich nur noch solche Sachen machen. Aufräumen, ordnen, wegbringen. Ist das idiotisch? Was würdest du sagen. Ich glaube, je älter ich werde, desto mehr will ich einfach meine Ruhe haben. Ich will in Ruhe am Küchentisch sitzen und vor mich hin rauchen, über dieses und jenes nachdenken, ich hätte nicht gedacht, dass mir das mal so wichtig sein wird. Die Kinder reißen mich da immer wieder raus. So ist das. Äpfel vierteln, Wäsche waschen, Hemden bügeln. Früher hab ich mir manchmal vorstellen können, ich wäre jemand anders. Heute bin ich nur noch ich selber. Müde und überfordert. Aber die Tücher sind trotzdem herrlich geworden, und ich denke immer an dich,

ich habe das Gefühl, du wärest nur eben mal kurz raus-
gegangen und kämest gleich wieder, ich denke immer, du
kommst gleich zurück. Stella, wie geht's? Fliegen die Raben
noch um den Turm?

Ich möchte, dass du deine Sachen packst, sagt Jason
am Telefon.

Ich möchte, dass du eine Tasche packst mit Pull-
overn und Socken und Büchern für dich und für Ava,
und ich möchte, dass du rausfährst. Fahr aufs Land,
fahr in Palomas Haus, bleib da eine Weile. Ich möchte,
dass du einmal auf mich hörst. Ein einziges Mal
nur.

Wann habe ich denn nicht auf dich gehört, denkt
Stella. Was soll das denn heißen. Gab es Momente, in
denen ich auf dich hätte hören sollen, tun sollen, was
du sagst, und stattdessen was anderes getan habe? Was
denn?

Sie hört auf Jason. Sie hört. Packt eine Tasche, Pullover und Socken, Avas Igel, zwei Zahnbürsten und
sieben Bücher. Stellt die Tasche in den Flur. Legt Avas
Regenjacke auf die Tasche, stellt ihre Gummistiefel
daneben.

Diesen Ort, sagt der Fahrradmechaniker, hat es schon
vor dir gegeben, und nach dir wird er immer noch
da sein. Orte machen etwas mit dir, aber du machst

nichts mit ihnen. Diese Siedlung hier bleibt stehen, ob du nun da bist oder nicht. Dein Haus bleibt ein Haus, es zerfällt nicht zu Asche, wenn du zum letzten Mal aus der Tür gehst. Alles, was du empfindest, findet nur in dir statt, es gibt nur das »in uns« – nichts sonst. Das ist ernüchternd. Aber auch klar – du bist die Konstante.

Er lässt das Rad, das er eingespeicht hat, rollen. Das Rad rollt rund. Sonnenlicht fängt sich in den Speichen, wird davongeschleudert.

Also es gibt solche Sterne und solche, sagt Ava. Ganz kleine mit vielen Zacken und ordentliche Sterne mit fünf Zacken, sie zeigt die Zacken mit den Fingern ihrer linken Hand. Tante Sonja sagt, alle Sterne sind schon lange tot, was soll das denn eigentlich heißen. Ich hab meine Haarspange kaputtgemacht, meine Haarspange ist jetzt weg. Ich möchte auch einmal lockige Haare haben, ganz lange lockige Haare, einmal nur. Als du ein Kind warst, wolltest du nicht Stella heißen, Papa hat es mir erzählt. Du wolltest Silvia heißen. Stimmt das? Ist das wirklich wirklich wahr? Ich mag nur dein Essen und Papas Essen. Ich möchte nie wieder im Kindergarten essen. Wie der Stevie lachen kann. Das musst du mal hören. Können wir ans Meer fahren? Können wir zu Papa auf die Baustelle fahren? Wird dieser Sommer noch heißer sein? Ich wünschte, es wäre immer ganz heiß. Wir sind heute im Kasper-letheater gewesen, und weißt du, was es gab – das Spiel mit den drei Schweinchen und dem Wolf. Ich will hierbleiben. Hier ist Stevie. Niemals will ich hier weg. Niemals!

Der Polizist, der die Anzeige aufnimmt, hat schwer-mütige Augen und trägt einen Schnauzbart, sein Hemd ist zerknittert, er sieht aus, als wäre er seit vier-undzwanzig Stunden im Dienst. Er muss aus dem Zimmer gehen, als Stella in Tränen ausbricht – sie bricht in Tränen aus wie Ava, kann vor Schluchzen kaum sprechen –, aber er kommt wieder und hat ein Päckchen Taschentücher dabei und einen Becher heißen süßen Tee mit Milch. Sein Büro ist trist, die Fenster sind hoch oben unter der Decke angebracht, kein Blick hinaus ist möglich. Auf dem Schreibtisch steht trotzdem eine Pflanze, und an der Wand hän-gen Postkarten von den Kanarischen Inseln, mexika-nischen Pyramiden, genau wie bei Paloma.

Stella wird verhört. Sie soll detaillierte Angaben machen, aber sie empfindet das als ein Verhör.

Seit wann kennen Sie Mister Pfister.

Ich kenne Mister Pfister überhaupt nicht.

Sie sind ihm nicht begegnet?

Ich begegne ihm jeden Tag. Er klingelt jeden Tag an unserem Haus, aber ich kenne ihn trotzdem nicht, er ist auf mich fixiert, ohne mich zu kennen, verstehen Sie nicht, was ich meine, können Sie sich nichts darunter vorstellen, oder was?

Doch, doch, ich verstehe, was Sie meinen, ich kann mir das vorstellen, sagt der Polizist, er versucht, beruhigend zu klingen, und sieht Stella zweifelnd an, er sagt, wir müssen das aber trotzdem alles Schritt für Schritt aufschreiben, von Anfang an.

Und Stella schiebt den Schuhkarton über den Schreibtisch, sie gibt ihn ab. Sie schildert das Klingeln, die Dinge im Briefkasten, die Begegnung im Center, das erste und das letzte Gespräch zwischen ihr und Mister Pfister. Sie sieht zu, wie der Polizist die Zettel und Papiere, Streichhölzer, Feuerzeuge, CDs und Diktiergeräte, die Fotos aus dem Schuhkarton nimmt, und sie kann, während er ihre Sätze umformuliert, zusammenfasst und in seinen Computer eingibt, zusehen, wie Schrecken, Zorn und Angst zerfallen.

Nicht vermittelbar. Der Fahrradmechaniker hat das schon eingesehen, es gibt nur das, was in uns ist, sonst nichts.

Sie sagt trotzdem, glauben Sie mir? Ich meine, glauben Sie mir, dass man das nicht aushalten kann?

Dieser Polizist sagt, ich glaube Ihnen das. Ich kann Ihnen auch sagen, dass Sie allen Grund haben, hierhergekommen zu sein. Sie kommen nur ziemlich spät, finde ich. Was sind Sie eigentlich von Beruf?

Krankenpflegerin, sagt Stella. Ich bin eine Krankenpflegerin.

Sie meint, in der Miene des Polizisten sehen zu können, dass dieser Beruf einiges erklärt. Krankenpflegerinnen sind sehr stabil, haben aber ein Helfersyndrom. Können sich nicht so gut wehren, haben immer eine etwas lange Leitung.

Ich hab ein Kind, sagt Stella. Ich bin verheiratet. Sie sagt es, als würde das etwas ändern.

Der Polizist geht auf die Toilette, und Stella wartet, bis sie seine Schritte im Flur nicht mehr hören kann, dann beugt sie sich vor und dreht den Monitor des Computers zu sich hin.

Die Anzeigende ist von den Ereignissen sichtlich ergriffen.

Sichtlich ergriffen.

Dieser Satz ist ein Geschenk. Stella sieht es, nimmt es an und dreht den Monitor zurück, legt die Hände in den Schoß und wartet.

Was ist dabei rausgekommen, sagt Jason am Telefon.

Muss man sehen, sagt Stella. Sie gehen jetzt bei ihm vorbei und teilen ihm mit, dass er sich ab sofort mit jeder Annäherung strafbar macht. Sie nennen es Deeskalationsvisite. Sie haben mir gesagt, dass sich erfahrungsgemäß die Situation nach der Deeskalationsvisite noch mal verschärft.

Meine Güte, sagt Jason. Was für Leute schicken sie denn da vorbei.

Polizisten, die auf Hooligans spezialisiert sind, sagt Stella. Es ist in gewisser Weise großartig, das so sagen zu können.

Also, ich mache mich auf den Weg, sagt Jason nach einer Weile. Ich fahre los. Ich fahre nach Hause, und dann komme ich zu euch raus. Pass auf dich auf. Stella.

Bis gleich, sagt Stella leichthin. Also dann. Bis gleich. Mach's gut.

Ich freue mich, dass Sie sich von mir verabschieden wollen, sagt Esther freundlich. Das ist ja völlig aus der Mode gekommen, so ein Abschied, die Leute denken, es wäre überhaupt nicht nötig, Auf Wiedersehen zu sagen. Auf Wiedersehen. Sie zieht das Wort verächtlich in die Länge. Wir beide müssen uns auch ein anderes Abschiedswort ausdenken, denn wir sehen uns nicht wieder. Nicht in diesem Leben zumindest. Was wollen wir sagen – Adieu? Na, noch ist es ja nicht so weit. Ich habe mich für Sie schön gemacht, ist Ihnen das aufgefallen?

Esther trägt über ihrem Schlafanzug einen Pullover mit silbernen und goldenen Fäden, sie hat sich diesen Pullover selber ausgesucht und angezogen, böse darauf bestanden, alleine ins Wohnzimmer zu gelangen.

Sie hat sich die Wangen rot angemalt und die Haare in alle Richtungen gekämmt, eine Kette aus elfenbeinernen Elefanten umgehängt, sie sieht aus wie ein fiebriger Clown.

Ja, sagt Stella. Das ist mir aufgefallen. Sie sehen umwerfend aus, vielen Dank.

Esther lacht darüber, als wüsste sie etwas besser. Machen Sie die linke Schranktür auf. Holen Sie zwei Gläser raus, nicht diese runden winzigen, die geschliffenen großen sind die richtigen. Sie können sich das aussuchen, Schwarze Johannisbeere oder Kirsche, was mögen Sie lieber, ich habe Schwarze Johannisbeere immer am meisten gemocht. Sie müssen sich schon bücken, die Flaschen stehen ganz unten, hinten, räumen Sie ein bisschen, weiter links, na, wunderbar, ich wusste gar nicht, dass da noch so viel drin ist.

Eigentlich ist das nicht erlaubt, sagt Stella.

Genau, sagt Esther. Eigentlich ist das nicht erlaubt.

Stella gießt die beiden Gläser voll.

Randvoll, sagt Esther, zögern Sie nicht. Zögern Sie nie! Das ganze Leben ist ein Abgrund, und je weniger Sie sich fürchten, je länger Sie hineinschauen, desto mehr haben Sie davon. Sie werden das noch begreifen, ich halte Sie für etwas weniger begriffsstutzig als all die anderen. Prost.

Der Alkohol ist süß und kräftig, Stella spürt ihn sofort in den Beinen und im Kopf, eine entrückte

Schwere mittags um zwölf. Esther schmatzt. Sie nimmt Stella die Flasche weg und gießt die Gläser zum zweiten Mal ein, sie sagt, Sie können ja einen Apfel dazu essen, Sie sehen aus wie eine, die immerzu Äpfel isst. Ich habe nie Äpfel gegessen. Nie.

Sie lehnt sich zur Seite und fegt mit einer überraschend kräftigen Bewegung den Stapel alter Zeitungen vom Sofa runter auf den Fußboden. Ich hab etwas für Sie, ein kleines Geschenk, zum Abschied, wo ist es, ich hatte es hier versteckt, ich weiß es genau. Sie schiebt Pralinenschachteln zur Seite, hebt die Kissen hoch. Hier ist es. Nehmen Sie's mit, stecken Sie's in Ihre im Übrigen viel zu große Handtasche.

Eine kleine Kiste. Ein rechteckiges Kistchen aus braunem Holz, vielleicht Kirschholz, so klein wie ein Sarg für eine Maus.

Stella macht den Deckel auf und sieht hinein. Die Kiste ist leer.

Natürlich ist sie leer, sagt Esther triumphierend. Sammeln Sie was drin. Das Allererste, was Ihnen in Ihrem neuen Leben wichtig sein wird – tun Sie's rein und sehen Sie manchmal danach, vielleicht wird es sich verwandeln. Ich wünsche Ihnen alles Gute, das tue ich, darauf können Sie vertrauen. Und mit dem Vertrauen haben Sie's nicht so, irre ich mich?

22

Vor dem Fenster des Zimmers, in dem Stella und Ava schlafen, läuten am Sonntagmorgen die Glocken der Dorfkirche. Ava schläft so tief, als müsste sie sich von etwas ausruhen. Stella liegt lange auf der Seite und sieht sie an, Avas Gesicht hat einen Ausdruck, von dem sie sich nur schwer lösen kann. Dann steht sie auf. In der Küche glimmt ein Feuer im Ofen, auf dem Tisch steht Kaffee in einer silbernen Kanne, Paloma ist in der Kirche. Stella geht in den Garten hinaus, in der Nacht hat es endlich geregnet, und das Gras ist noch nass und kalt. Sie stellt sich hinter den schiefen Gartenzaun und sieht die Landstraße entlang, die Landstraße kommt aus dem Dorf, zieht sich am Haus vorbei den Hügel rauf und hinter dem Hügel weiter ins Ungewisse. Die Windräder am Horizont beginnen, sich zögernd zu drehen. Die Kiefern im Garten knarren wie zu Hause. Aus dem Schornstein steigt der

Rauch vom Küchenfeuer, steht still überm Dach und verwischt dann vor dem Himmel.

Am Abend zuvor hat Mister Pfister seine Papiere hinter dem Haus zu einem großen Haufen zusammengekehrt, das ganze Papier, die Zeitungen, Blöcke, Hefte, die Lagen von Packpapier, Wurfsendungen, Pappe, ausnahmslos alle Fotos, auch die dicken roten Umschläge, auch die. Irgendwer hat die Polizei angerufen. Die Polizei ist vorbeigekommen und hat Mister Pfister höflich, aber bestimmt davon abgehalten, diesen Haufen dann auch anzuzünden. Worte, Schlagzeilen, Bilder, die Ketten der Gedanken und Fragen, die unlösbaren Rätsel, all das ist in der Nacht vom Regen durchnässt worden, hat sich letztlich und endlich aufgelöst.

Mister Pfister ist gegen zweiundzwanzig Uhr mit auf die Wache genommen worden. Er hat der Polizei auf der Wache glaubhaft versichern können, mit den Nerven am Ende zu sein, mehr nicht. Er ist einfach nur mit den Nerven am Ende, so was kann vorkommen, es ist einfach mal alles zu viel gewesen, er muss sich nur ausruhen, das geht vorbei. Alles in Ordnung. Da muss man sich gar keine Sorgen machen. Er kann das versprechen, er kommt damit klar.

Er ist auch darüber in Kenntnis gesetzt worden, dass Stella Anzeige erstattet hat.

Wer?

Stella. Von Beruf Krankenpflegerin, siebenunddreißig Jahre alt, verheiratet, Mutter eines Kindes.

Ach ja.

Er wird in der nächsten Woche eine Vorladung erhalten und ist darüber informiert worden, dass er sich ab jetzt mit jedem Versuch, zu Stella Kontakt aufzunehmen, strafbar macht. Mit jedem Versuch. Jeder Nachricht, jeder Bitte um Entschuldigung. Mit egal was. Mister Pfister hat das zur Kenntnis genommen. Hat auch unterschrieben, das zur Kenntnis genommen zu haben, hat seinen Namen aufgeschrieben in seiner femininen Schrift. Er ist in den frühen Morgenstunden von der Wache aus zurück nach Hause geschickt worden. Sein Weg führt an Stellas Haus vorbei, da kann man nichts machen, natürlich hat er an ihrer Tür geklingelt, alle Fenster sind dunkel geblieben, die Lage ist, wie sie war.

Jetzt ist er zu Hause und zerstört sein Haus von innen, von innen nach außen, in einer gemessenen Weise. Er zerstört sein Mobiliar, er nimmt es auseinander, zerhackt es, schmeißt das alles raus, Stuhl und Tisch aus dem Fenster über der Spüle raus in den Garten, Tassen hinterher, Flaschen und Gläser, Müll, Decken, Schuhe. Bis nichts mehr da ist. Mister Pfister wickelt sich in eine letzte Decke und legt sich auf den Boden. Durch die zerschlagenen Fenster weht der Wind ins Haus.

Ava schläft fast bis in den Mittag hinein, dann ruft sie nach Stella. Stella setzt sich auf die Bettkante. Ava sagt, guten Morgen, Stella hat den Eindruck, dass Ava plötzlich alt genug ist, um zu wissen, dass es schön sein kann, guten Morgen zu sagen. Vielleicht weiß sie es noch nicht, aber sie ahnt es schon. Guten Morgen. Sie hilft Ava beim Anziehen und geht mit ihr in die Küche, Ava möchte ihren Igel mitnehmen, greift nach Stellas Hand und benimmt sich so offiziell wie zu Beginn eines Kindergeburtstages. Paloma ist von der Kirche zurückgekommen und hat den Tisch mit ihrem besten Geschirr gedeckt, die Teetassen sind dunkelblau, auf ihrem Grund schimmern Sterne. Es gibt Marmorkuchen mit selbstgepflückten Himbeeren, Aprikosen und Schokoladencreme dazu, Ava sitzt auf drei Kissen und sagt, ich habe Hunger wie ein Wolf. Wisst ihr, was ein Wolf für einen Hunger hat?

Paloma, die in ihrem Haus weicher und müder wirkt als in ihrem Leben in der Stadt, gießt Ava heißen Kakao ein und schiebt die Zuckerdose neben ihre Tasse. Sie sagt, wenn ihr wollt, können wir zum See gehen. Wir können baden gehen, mal nachsehen, was der Biber macht. Paloma ist sonst in diesem Haus alleine, sie geht alleine zum See, sieht alleine nach dem Biber, trinkt ihren Tee alleine sicher nicht aus den dunkelblauen Tassen. Oder doch?

Ich hab einen Raben gehört, sagt Ava, sie neigt den

Kopf, reißt die Augen auf und hebt den Zeigefinger hoch, habt ihr das auch gehört.

Das ist mein Hausrabe, sagt Paloma. Wenn du Glück hast, führt er dir ein Kunststück vor, er ist ein Künstler, er kann sich im Flug zweimal um sich selber drehen.

Stella fühlt sich so betäubt, dass sie fast glücklich ist. Als wäre diese Küche eine Insel, wer hätte das gedacht. Sie ist Paloma dankbar dafür, dass sie anscheinend nichts über den Stand der Dinge sagen will, nichts über den eigentlichen Grund für Stellas und Avas Besuch. Aber auf der anderen Seite wünscht sie sich, dass Paloma etwas dazu sagen, etwas fragen würde, dass es eine Möglichkeit gäbe, wie einen Ausweg.

Wir haben einen Stalker, sagt Ava. Sie wendet sich von Stella ab, als hätte sie ihre Gedanken gelesen, als wäre es endlich an der Zeit. Sie spuckt einen Aprikosenkern aus und hält dem Igel auf ihrem Schoß die Ohren zu.

Wir haben einen Stalker, wie sieht der eigentlich aus?

Unauffällig, sagt Stella. Der sieht unauffällig aus, ganz normal, so wie du und ich. Wenn wir ihn auf der Straße sehen, zeige ich ihn dir. Aber du musst eigentlich nicht wissen, wie er aussieht, wir werden ihn nicht mehr treffen. Und du musst dich nicht fürchten.

Sie begegnet Palomas Blick, dem aufmerksamen Ausdruck ihrer Augen.

Am frühen Sonntagnachmittag zieht Mister Pfister, der in seinen Sachen geschlafen hat, seine Schuhe wieder an. Er tritt einen Gegenstand aus dem Weg, greift nach einer letzten Flasche, verlässt sein Haus und lässt die Tür und das Tor hinter sich weit offen stehen.

Er geht am Haus des Fahrradmechanikers vorbei, ohne hinzusehen. Der Fahrradmechaniker ist auch weg, rausgefahren, wie jeden Sonntag, in die weite Landschaft raus. Mister Pfister geht die Straße runter, das bucklige, scharfäugige Kind kreuzt seinen Weg, wie jedes Mal, kreuzt den Weg von rechts nach links, sieht nicht zu ihm hin, verschwindet in den jetzt so üppigen Gärten. Mister Pfister kann hören, wie die Leute miteinander reden. Kaffeegeschirrgeklapper von den schattigen Terrassen, ein Raunen. Er kann weit entfernt die Hunde bellen hören, er hört den Wind im Feld.

Über Stellas Haus steht eine verhangene Nachmittagssonne. Kein Wagen in der Auffahrt, die Haustür geschlossen, das Fenster im Giebel offen, und die orangene Fahne ist gehisst.

Niemand zu sehen.

Niemand ist zu sehen. Ist Stella zu Hause?

Mister Pfister hat über dem gestrigen Abend, den

Stunden bei der Polizei, den erstaunlichen Gesprächen, dem Aufräumen, Neuordnen, dem Morgen auf dem Boden in die alte Decke gewickelt, ein bisschen den Anschluss verloren. Den Überblick, er ist ein wenig aus dem Gleichgewicht geraten, das kann man aber beheben, das ist wieder herzustellen. Er bleibt vor dem Tor stehen und sieht sich alles an. Er sieht ganz genau hin. Und dieses Mal klingelt er nicht, er lässt das mit dem Klingeln einfach sein und tritt stattdessen sofort das Gartentor auf, er tritt es einfach ein zweites Mal auf, so wie an dem Tag, an dem er das Foto mit dem Bett aus der anderen Zeit, hier kann er aber nicht mehr weiterdenken, hier brechen die Gedanken ab. Das Tor springt auf, Mister Pfister betritt den Garten. Opalisierende, drastische Farben und über den Farben das phantastische Summen von Insekten. Stellas Haus beginnt zu schwanken. Etwas drückt die Scheiben von innen nach außen. Kiesel und alte Schrauben springen von der Treppe vor der Haustür, die Neigung dieses Kindes für Schrott, der Spaten an der roten Backsteinwand rutscht zur Seite, die rote Backsteinwand glüht von der Hitze. Mister Pfister ist jetzt an der Haustür angelangt. Er könnte hier doch noch mal klingeln, hier hat er ja schließlich noch nie geklingelt. Er könnte ihr noch einmal eine allerletzte Chance geben, die Chance, die Tür aufzumachen wie ein verdammt nochmal ganz normaler Mensch und zu sa-

gen, hallo, schön, dass du vorbeigekommen bist, her-
ein, setz dich, was kann ich dir anbieten. Hat sie eine
allerletzte Chance verdient.

Stella. Siebenunddreißig Jahre alt, von Beruf Krankenpflegerin, verheiratet, Mutter eines Kindes.

Hat sie nicht.

Mister Pfister nimmt Anlauf. Er nimmt die Treppe
mit einem Sprung und wirft sich gegen die Tür, dass
die Wände beben. Er tritt hintereinanderweg gegen
die Tür, in Höhe des Schlosses, gegen das trockene,
weiß lackierte Holz, gegen die Bleiglasscheiben, die erstaunlicherweise nicht nachgeben wollen. Dann macht
er eine Pause. Steht still, ist außer Atem, wartet. Die
Tür geht auf.

Jason steht in der Tür. Er hält den Stock in der Hand,
den Stevie Ava geschenkt hat, den Stock, mit dem Ava
für Stevie die Kata übt, Bunkai, Shotokan, H-förmige
Grundlinien, sternförmige Grundlinien, der Stock ist
schwer und stabil. Ava hat in der letzten Woche vor
dem Haus geübt, ist zurück ins Haus spaziert, hat den
Stock im Flur fallen lassen und ist in die Küche gegangen, um ein Glas eiskalte Zitronenlimonade zu trinken, Stella hat den Stock wieder aufgehoben und an
die Wand neben der Garderobe gelehnt. Jason hat den
Stock in die Hand genommen, mit diesem Stock in der
Hand endlich die Tür aufgemacht.

Er schlägt sofort zu. Hebt den Stock hoch, holt aus, schlägt zu. Er schlägt Mister Pfister vom Treppenabsatz zurück in die Auffahrt, es ist zuerst leicht, ihn zurück in die Auffahrt zu schlagen, weil Mister Pfister sehr überrascht ist, aber dann schreit er auch sofort los und wehrt schreiend Jasons Schläge ab.

Jason schlägt ihn gegen die Knie, auf den Rücken, aufs Rückgrat, auf die Schultern. Erst, als es Mister Pfister gelingt, seine Flasche, die er einfach nicht loslassen will, auf der Stufe vom Treppenabsatz zu zerbrechen, als er versucht, Jason den abgebrochenen Flaschenhals in den Bauch zu rammen, schlägt Jason ihn gegen den Kopf.

Er schlägt ihm den Stock gegen den Schädel, und Mister Pfister geht zu Boden, lässt den Flaschenhals los, tritt nach Jason, hält schon die Hände hoch, tritt aber weiter nach Jason, geifert und kreischt. Der helle Kies vor dem Treppenabsatz ist ziemlich schnell voller Blut. Mister Pfister ist durch die Scherben gerutscht, und offenbar hat er zusätzlich ein Loch im Kopf. Er pisst sich ein. Geruch nach Linden und Klee, nach Urin, Schweiß und Scheiße. Es scheint, dass Jason einen Augenblick lang – es ist ein goldener Augenblick – einfach nicht mehr damit aufhören kann, Mister Pfister den Schädel einzuschlagen. Diesen Schädel feierlich entzweizuschlagen, er schlägt immer wieder zu. Immer wieder. Immer wieder.

Dann geht das vorüber.

Jason packt Mister Pfister an seinem schmutzigen, warmen, blutigen, nassen Pullover und zerrt ihn die Auffahrt runter, von der Tür weg, zum Tor hin, er zerrt ihn auf den Gehweg raus und lässt ihn da liegen. Er geht zurück ins Haus, wirft den Flaschenhals, die Scherben in den Mülleimer, stellt den Stock in den Flur zurück, schließt die Haustür, die deutliche Spuren von Mister Pfisters Schuhsohlen zeigt, hinter sich ab. Er geht aus dem Garten auf die Straße raus. Mister Pfister hat sich aufgesetzt, an den Zaun gelehnt, er weint, sein Gesicht ist blutverschmiert, er hält sich mit der rechten den linken Arm vom Körper weg, seine Hände sind blutig, und er spuckt blutig aus, als Jason an ihm vorübergeht.

Dann sackt er weg. Etwas schleift über den Asphalt, Mister Pfisters Schluchzen klingt kindlich, bricht ab.

Jason geht den Waldweg runter.

Die Straße ist sonntäglich. Alles bleibt zurück.

Stella, Paloma und Ava sind auf dem Weg zum See, als Stellas Telefon klingelt. Der Weg ist sumpfig und morastig, der Biber hat den See gestaut und die Weiden gefällt, zwischen den Baumstümpfen wächst das Riedgras hoch. Der Weg ist verwunschen, aus dem Schilf schrecken die Enten, Ava pflückt Schlüsselblumen und Aronstab, läuft weit voraus.

Wird schon wieder bisschen früher dunkel, sagt Paloma. Ich fürchte mich vor der frühen Dunkelheit, der Sommer ist viel zu kurz.

Ja, sagt Stella, dieser Sommer ist kurz.

Das Telefon klingelt dumpf im Korb mit den Badeanzügen, den Handtüchern, der Sonnenmilch, und sie holt es vorsichtig raus und liest auf dem Display den Namen des Polizisten mit den schwermütigen Augen. Sie dreht sich von Paloma weg, Paloma geht weiter.

Hallo, sagt Stella.

Der Polizist sagt, ich steh in Ihrem Haus. Es ist ein nettes Haus. Wo sind Sie, geht's Ihnen gut? Geht es Ihnen gut?

Es geht mir gut, sagt Stella. Sie sieht um sich herum auf das Schilf, die dunkle Seenlandschaft, heftige Grüntöne, Ava und Paloma am Ende des Weges, winkend, Stella winkt zurück, sie sagt, wieso stehen Sie in meinem Haus.

Sie sieht den Polizisten in ihrer Küche. Der Tisch, Avas Buntstifte, das Brettchen mit den Apfelschalen, den Kerngehäusen, der Seekieselstein von Jason; sind oben die Betten gemacht, ist das Bad ordentlich, was könnte sie verraten, sie sieht den Polizisten in ihrer Küche wie ein Standbild: frame. Als wäre ihr ganzes Leben auf dieses eine Bild hin ausgerichtet gewesen.

Er sagt, es gab hier eine Auseinandersetzung. Eine

Eskalation. Jemand hat die Polizei gerufen, und in Ihrem Vorgarten ist so viel Blut, dass wir dachten, Ihnen wäre was passiert. Verstehen Sie mich. Können Sie mich hören?

War das Haus aufgebrochen, sagt Stella. Ich versteh Sie sehr gut, ich kann Sie hören. Warum stehen Sie in meinem Haus?

Ihr Haus war verschlossen, und wir haben es aufgebrochen, weil wir dachten, Sie wären drin. Wir dachten, Sie wären – verletzt, sagt der Polizist, er sagt es sehr vorsichtig.

Ich bin unverletzt, sagt Stella. Ich bin nicht verletzt. Ich bin auf dem Land, weit weg, es geht mir gut.

Also, sagt der Polizist. Mister Pfister ist im Krankenhaus. Es geht ihm gar nicht gut. Hat der sich selber den Schädel eingeschlagen? Wissen Sie was darüber? Wir lassen jetzt hier ein neues Schloss einbauen. Wir melden uns wieder. Bleiben Sie, wo Sie sind, wenn Sie sich das leisten können. Machen Sie das?

Ja, sagt Stella, ich versuch's. In ihrem Kopf stoßen verschiedene Bilder aneinander und auseinander und ergeben keinen Sinn. Wo ist Jason. Mister Pfisters eingeschlagener Schädel, ein Blick wie in eine knöcherne Schale voller rußiger Blätter. Stella sagt, ist das Haus leer. Ich meine – war niemand im Haus, war das Haus leer.

Ja, sagt der Polizist, das Haus war leer. Also sagen

wir mal – es war so leer, wie ein bewohntes Haus leer sein kann.

Ich kann nicht mehr telefonieren, sagt Stella. Ich lege jetzt auf.

Der Weg vor ihr ist verlassen, Paloma und Ava müssen aufs Feld abgebogen sein. Stella bleibt noch eine Weile stehen. Als wäre was zu Ende gegangen, als würde irgendetwas neu anfangen.

23

Später denkt Stella manchmal darüber nach, wie viel Kraft in Jasons Schlägen gelegen haben muss. Worum es in diesen Schlägen eigentlich gegangen ist. Sie denkt darüber nach, während sie das Geschirr einpackt, Teller und Tassen und den Deckel der Zuckerdose und die Zuckerdose, die Teekanne, die Porridgeschalen, die Gläser mit Blumendruck in Zeitungspapier einschlägt, in Pappkartons verstaut, die Pappkartons verschließt und mit Wachsstift das Wort *zerbrechlich* auf die Deckel schreibt, immer wieder – zerbrechlich.

Sie kommt zu keinem Schluss.

Sie räumt ihren Schreibtisch aus, während sie darüber nachdenkt, und sie legt Bücher, die sie nicht mehr lesen wird, in Kisten, und andere Bücher, die sie immer noch liebt, in andere Kisten, und sie sortiert Briefe, Claras Briefe, die wenigen kostbaren Briefe von Jason, Briefe von Menschen, die schon gestorben sind, in Ordner, und sie schreibt auf die Rückseite der Ordner nach längerem Zögern – schöne Briefe.

Sie denkt darüber nach, bis der Mann von den Stadtwerken an der Tür klingelt, um den Zählerstand vom Strom und vom Gas abzulesen, und sie steht neben ihm und sieht zu, wie er die Ziffern ihres Verbrauches an Wärme und Licht in ein Formular einträgt, als sei das das Normalste der Welt.

Sie packt Avas Sachen ein. Sie sortiert die Sachen, aus denen Ava herausgewachsen ist, aus und legt die Sachen, die sie gerade noch so tragen kann, in den Koffer, und sie bringt die Spielsachen, mit denen Ava nicht mehr spielt, weg, während Ava nicht da ist. Sie behält alle Stofftiere. Sie knüpft vorsichtig das Mobile von der Zimmerdecke, faltet das Prinzessinnenkleid zusammen und packt es ein, obwohl es zu klein geworden ist. Sie hebt alle Bücher auf. Avas Lieblingsbuch – *das ist die blaue Tür mal sehen wer da wohnt wir klopfen einfach an jemand zu Hause sieben Affen was machen sieben Affen Affenquatsch* –, sie steht mit dem aufgeschlagenen Buch am Fenster in Avas Zimmer und fragt sich, ob Jason an sie gedacht hat, während er zuschlug, ob Jason schlagend an Stella gedacht hat.

Sie findet eine Zeichnung von Jason zwischen Avas Büchern. Er hat Stella gezeichnet – von Avas Zimmer aus gesehen, auf dem Stuhl im Garten, am Rand der Wiese, Stella von der Seite, in ihrem grauen Kleid und barfuß, die Haare offen und die Hände im Schoß. Er hat das Datum darunter geschrieben und ihren Namen, als wolle er sich vergewissern, wer sie sei. Als wolle er sie nie vergessen.

Wenn sie aus dem Haus tritt, kann sie Jason sehen, über Mister Pfister gebeugt, ein Liebender. Sie möchte das nicht so sehen, aber sie sieht es doch. Sie denkt darüber nach, die drei Namen mit Terpentin vom Briefkasten zu entfernen, sie lässt sie stehen.

Sie schreibt den letzten Brief an Clara aus diesem Haus auf einem Karton in der ausgeräumten Küche sitzend, den Briefblock auf den Knien, sie schreibt *Liebe Clara, hätte ich deinen Brautstrauß nicht gefangen, wäre möglicherweise alles ganz anders gekommen, Jasmin und Flieder, weißt du das eigentlich noch? Ich empfinde es als ungerecht, dass sich die Verkettung der Dinge nur im Nachhinein erkennen und begreifen lässt. Und auf der anderen Seite bin ich glücklich, hab ich ein wildes und zuversichtliches Herz. Ich gebe jetzt die Schlüssel ab; wenn ich aus dieser Tür gehe, werde ich mich nicht mehr umdrehen, kein einziges Mal mehr, ich schwöre dir das. Und ich denke – wo ich morgen sein werde, ist ja heute schon vorbei. Gib auf dich acht! Sei bei mir, deine –*

Zurück bleiben die Bleistiftstriche für Avas Wachsen. Datum und Zentimeter, die nur für Stella greifbare Erinnerung an einen Abend im März, an einen Tag im Winter, an einen Nachmittag bei Regen. Der Schatten an der Wand, wo das Bücherregal gestanden hat, der Abdruck der Bilderrahmen in Jasons Zimmer, diese helle Stelle am Treppengeländer, an der Stella sich Morgen für Morgen abgestützt hat, runter in die Küche gegangen ist, um das Teewasser aufzustellen, den einfachen Tag zu beginnen. Zurück bleiben Avas Abziehbildchen am Fensterglas. Die blaue Wand. Der getrocknete, mit Paketschnur zusammengebundene Lavendel auf dem Fensterbrett, das papierene Pferdchen daneben. Ein Schekel, eine Muschel, eine Münze auf dem Rand des Sandkastens. Königskerzen, Lupinen.

Viel später erinnert sich Stella wie aus weiter Ferne an die Jahre in der Siedlung, an diese Zeit in ihrem Leben. Das Haus, die Zimmer, der Blick aus dem Küchenfenster aufs offene Feld, Morgenlicht und Himmel sind in einer Kapsel eingeschlossen, nicht mehr zu erreichen. Sie kann all das von außen sehen, aber sie kann es nicht berühren, und sie staunt darüber, wie wenig ihr fehlt. Ihr fehlt – nichts. Oder nur das, was ihr ohnehin fehlt. Vielleicht ist es doch so, dass die Gegenwart zählt, ihr leichtes, unwiderstehliches Gewicht, Stella ist zu Hause, wo sie lebt und wo sie schläft. Es ist möglich, Orte zu verlassen, Versprechungen fallen zu lassen. Sie kann noch immer mit geschlossenen Augen aus dem Schlafzimmer kommen, die Treppe runter in die Küche gehen und das Wasser im Kessel aufsetzen, bevor sie das Radio anmacht, und sie empfindet keine Sehnsucht. Das bedeutet, sie könnte immer wieder gehen. Veränderung ist kein Verrat. Und wenn doch, dann wird er nicht bestraft.

Stella, sagt Jason, bist du wach? Sieh mal aus dem Fenster, wenn du kannst.

Was würde ich sehen, wenn ich könnte, sagt Stella.

Einen unfassbar riesigen orangegelben Halbmond eine Handbreit überm Horizont.

Die Autorin dankt
der Heinrich-Böll-Stiftung
dem Goethe-Institut Dublin
dem Böll-Cottage auf Achill Island
insbesondere Mechtild Manus und John McHugh
für die Unterstützung der Arbeit an diesem Buch.